GOD
In the name of

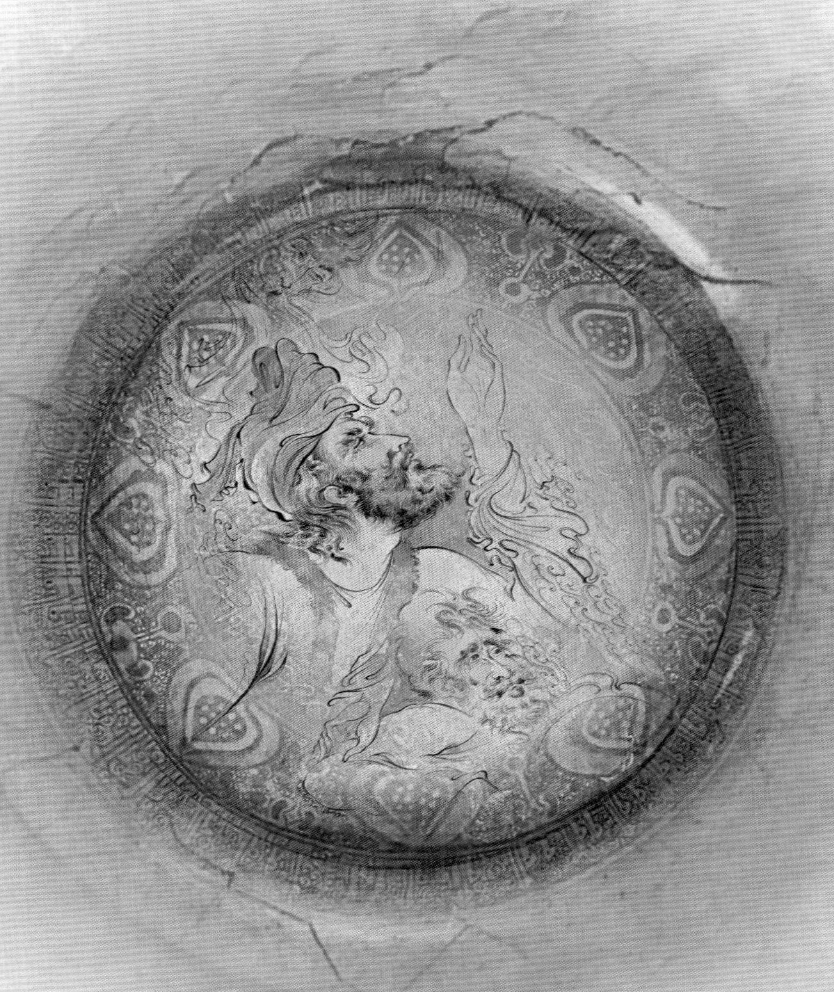

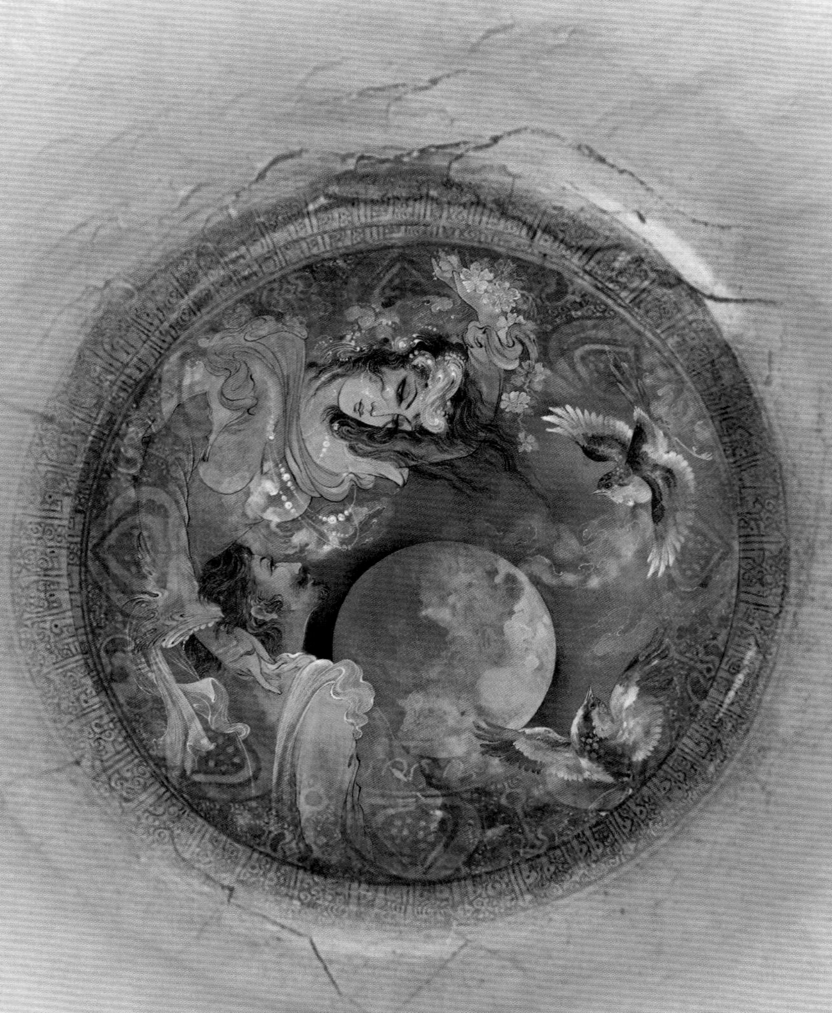

RUBAIYAT
OF
OMAR KHAYYAM

In English , French , German , & Persian

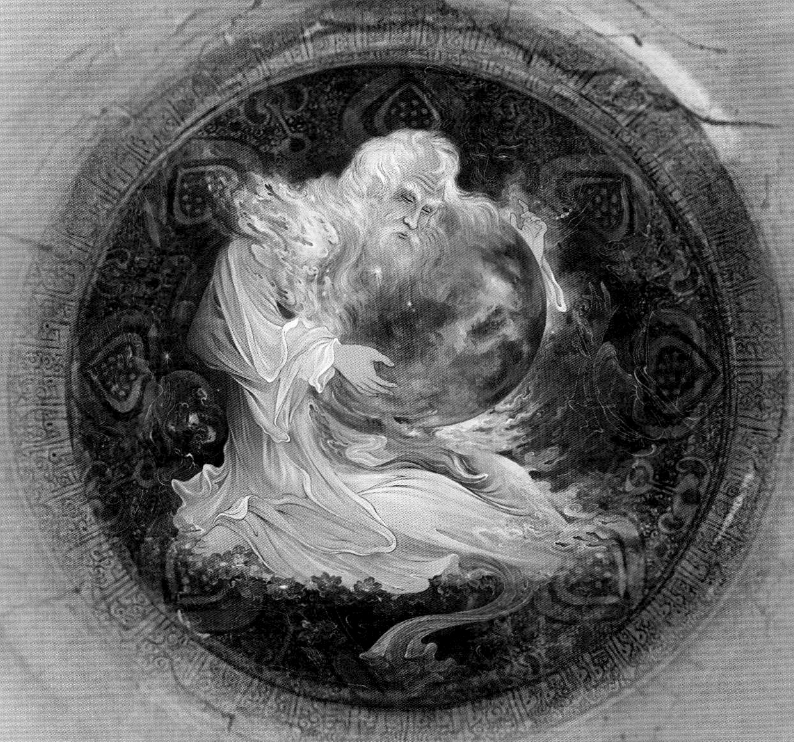

English Version and Introduction

EDWARD FITZGERALD

Rubaiyat of OMAR KHAYYAM
In Persian , English , French , German
Rendered into English verses by : Edward Fitzgerald
Rendered into French verses by : A. G. E'tesam-zadeh
Vincent Montei and A.H. Kavoosi
Rendered into German verses by : Leopold, K. Djamali
Persian Introduction : Dr. A. Mahmoodi Bakhtiari
Calligraphy : Hashem Zamanian
Painting by : Gh. Esmaeil-zadeh
Layout and Product Manager : Mohsen Zeyghami
Prepress : Farayand-e-Gooya
Printed by : Abyaneh
9th Edition : Winter 2015
Binding : Moein
ISBN : 978-964-7141-26-0
Publishers : Mirdashti Farhangsara , Zeyghami Publication

MIRDASHTI PUBLICATION

Mashhad - Iran Tel.: +(98511) 854 49 51 Fax: 851 47 61
Mirdashti Book
Tehran - Iran Tel.: +(9821) 664 90 661-2 Fax: 664 91 968
Website: WWW. fmirdashti.com
Email: Info@ fmirdashti.com

Preface

OMAR KHAYYAM was born at Naishapur in Khorassan in the latter half of our Eleventh, and died within the First Quarter of our Twelfth Century. The slender story of his life is curiously twined about that of two other very considerable figures in their time and country: One of whom tells the story of all three. This was Nizam-ul-mulk. Vizier to Alp Arslan the Son, And Malik Shah the grandson of Toghrul Beg the Tartar, who had wrested Persia from the feeble successor of Mahmud the Great, and founded that Seljukian Dynasty which finally roused Europe into the Crusades. This Nizam-ul-Mulk, in his *Wasiyat*-or *Testament*-which he wrote and left as a memorial for future Statesmen-relates the following, as quoted in the Calcutta Review. No. 59. from Mirkhond's History of the Assassins.

"One of the greatest of the wise men of Khorassan was the Imam Mowaffak of Naishapur. A man highly honored and reverenced,(May God rejoice his soul) his illustrious years exceeded eighty-five, and it was the universal belief that every boy who read the Koran or studied the traditions in his presence, would assuredly attain to honor and happiness. For this cause did my father send me from Tus to Naishapur with Abd-us-samad, the doctor of law, that I might employ myself in study and learning under the guidance of that illustrious teacher. Towards me he ever turned an eye of favour and kindness, and as his pupil I felt for him extreme affection and devotion, so that I passed four years in his service. When I first came there, I found two other pupils of mine own age newly arrived, Hakim Omar Khayyam, and the ill-fated Ben Sabbah. Both were endowed with sharpness of wit and the highest natural powers; and we three formed a close friendship together. When the Imam rose from his lectures, they used to join me, and we repeated to each other the lessons we had heard. Now Omar was a native of Naishapur, while Hasan Ben Sabbah's father was one Ali, a man of austere life and practice, but heretical in his creed and doctrine. One day Hasan said to me and to Khayyam, "It is a universal belief that the pupils of the Imam Mowaffak will attain to fortune. Now, even if we all do not attain thereto, without doubt one of us will; what then shall be our mutual pledge and bond?" We answered, "Be it what you please." "Well," he said, "let us make a vow, that to whomsoever this fortune falls, he shall share it equally with the rest, and reserve no pre-eminence for himself." "Be it so," we both replied, and on those terms we mutually pledged our words. Years rolled on, and I went from Khorassan to Transoxiana, and wandered to Chazni and Cabul; and when I returned, I was invested with office, and rose to be administrator of affairs during the Sultanate of Sultan Alp Arslan.'

"He goes on to state, that years passed by, and both his old school-friends found him out, and came and claimed a share in his good fortune, according to the schoolday vow. The vizier was generous and kept his word. Hasan demanded a place in the government, which the Sultan granted at the vizier's request; but discounted with a gradual rise, he plunged into the maze of intrigue of an oriental court, and failing in a base attempt to supplant his benefactor, he was disgraced and fell. After many mishaps and wanderings, Hasan became the head of the Persian of the *Ismailians*,-a party of fanatics who had long murmured in obscurity, but rose to an evil eminence under the guidance of his strong and evil will. In A.D. 1090, he seized the castle of Alamut, in the province of Rudbar, which lies in the mountainous tract south of the Caspian Sea; and it was from this mountain home he obtained that evil celebrity among the Crusaders as the OLD MAN OF THE MOUNTAINS, and spread terror through the Mohammedan world; and it is yet disputed whether the word *Assassin*, Which they have left in the language of modern Europe as their dark memorial, is derived from the *hashish*, or opiate of hemp-leaves (the Indian bhang) , with which they maddened themselves to the sullen pitch of oriental desperation, or from the name of the founder of the dynasty, whom we have seen in his quiet collegiate days, at Naishapur. One of the countless victims of the Assassin's danger was Nizam-ul-Mulk himself, the old school-boy-friend.

"Omar Khayyam also came to the Vizier to claim his share, but not to ask for title or office. "The greatest boon you can confer on me,' he said, "is to let me live in a corner under the shadow of your fortune, to spread wide he advantages of Science, and pray for your long life and prosperity." The Vizier tells us, that when he found Omar was really sincere in his refusal, he pressed him no further, but granted him a yearly pension of 1200 *mithkals* of gold from the treasury of Naishapur.

"At Naishapur thus lived and died Omar Khayyam, "busied," adds the vizier, "in winning knowledge of every kind, and especially in Astronomy, wherein he attained to a very high preeminence. Under the Sultanate of Malik Shah, he came to Merv, and obtained great praise for his proficiency in science, and the Sultan showered favours upon him.'

"When the Malik Shah determined to reform the calendar, Omar was one of the eight learned men employed to do it; the result was the *Jalali* era (so called from *Jalal-ud-din,* one of the king's names) - a computation of time,' says Gibbon,'which surpasses the Julian, and approaches the accuracy of the Gregorian style. 'He is also the author of some astronomical tables, entitled 'Ziji-Malikshahi,' and the French have lately republished and translated an Arabic Treatise of his on Algebra.

"His Takhallus or poetical name(Khayyam) signifies a Tentmaker, and he is said to have at one time exercised that trade, perhaps before Nizam-ul-Mulk's generosity raised him to independence. Many Persian poets similarly derive their names from their occupations; thus we have Attar, a druggist,' Assar, 'an oil presser,' etc. Omar himself alludes to his name in the following whimsical lines:

"Khayyam, who stitched the tents of science.
Has fallen in grief's furnace and been suddenly burned,

The shears of fate have cut the tent ropes of his life,
And the broker of Hope has sold him for nothing!

"We have only one more anecdote to give of his Life, and that relates to the close; it is told in the anonymous preface which is sometimes prefixed to his poems; it has been printed in the Persian in the Appendix to Hyde's *Veterum Persarum Religio,* p. 499; and D'Herbelot alludes to it in his Bibliotheque, under Khiam.

"It is written in the chronicles of the ancients that this king of the Wise, Omar Khayyam, died at Naishapur in the year of the Hegira, 517 (A.D. 1123); in science he was unrivaled,_the very paragon of his age. Khwajah Nizami of Samarcand, who was one of his pupils, relates the following story: "I often used to hold conversations with my teacher. Omar Khayyam, in a garden; and one day he said to me, 'My tomb shall be in a spot where the north wind may scatter roses over it. I wondered at the words he spoke, but I knew that his were no idle words. Years after, when I chanced to revisit Naishapur, I went to his final resting-place, and lo! It was just outside a garden, and trees laden with fruit stretched their bought over the garden wall, and dropped their flowers upon his tomb, so that the stone was hidden under them."""

Thus far-without fear of Trespass-from the *Calcutta Review*. The writer of it, on reading in India this story of Omar's Grave, was reminded, he says, of Cicero's Account of finding Archimedes' Tomb at Syracuse, buried in grass and weeds. I think Thorwaldsen desired to have roses grow over him; a wish religiously fulfilled for him to the present day, I believe. However, to return to Omar.

Though the sultan "shower'd Favours upon him," Omar's Epicurean Audacity of Thought and Speech caused him to be regarded askance in his own Time and Country. He is said to have been especially hated and dreaded by the Sufis, whose Practice he ridiculed, and whose Faith amounts to little more than his own, when stript of the Mysticism and formal recognition of Islamism under which Omar would not hide. Their Poets, including Hafiz, who are (with the exception of Firdausi) the most considerable in Persia, borrowed largely, indeed, of Omar's material, but turning it to a mystical use more convenient to themselves and the people they addressed; a People quite as quick of Doubt as of Belief; as keen of Bodily sense as of Intellectual; and delighting in a cloudy composition of both, in which they could float luxuriously between Heaven and Earth, and this World and the Next, on the wings of a poetical expression, that might serve indifferently for either. Omar was too honest of Heart as well of Head for this. Having failed (however mistakenly) of finding any Providence but Destiny, and any World but this, he set about making the most of it; preferring rather to soothe the Soul through the Senses into Acquiescence with Things as he saw them, than to perplex it with vain disquietude after what they *might* be. It has been seen, however, that his worldly ambition was not exorbitant; and he very likely takes a humorous or perverse pleasure in exalting the gratification of sense above that of the Intellect, in which he must have taken great delight, although it failed to answer the questions in which he, in common with all men, was most vitally interested.

For whatever reason, however, Omar as before said, has never been popular in his own Country, and therefore has been but scantily transmitted abroad. The MSS. of his Poems, mutilated beyond the average Casualties of Oriental Transcription, are so rare in the East as scarce to have reached Westward at all, in spite of all the acquisitions of Arms and Science. There is no copy at the India House, none at the Bibliotheque Nationale of Paris. We know but of one in England: No. 140 of the Ouseley MSS. At the Bodleian, written at Shiraz, A.D. 1460. This contains but 158 Rubaiyat. One in the Asiatic Society's Library at Calcutta (of which we have a Copy), contains (and yet incomplete). 516, though swelled to that by all kinds of Repetition and Corruption. So Von Hammer speaks of his Copy as containing about 200, while Dr. Sprenger catalogues the Lucknow MS. At double that number. The Scribes, too, of the Oxford and Calcutta MSS. seem to do their work under a sort of protest; each beginning with a Tetrastich (whether genuine or not), taken out of its alphabetical order; the Oxford with one of Apology; the Calcutta with one of Expostulation, supposed (says a Notice prefixed to the Ms.) to have arisen from a dream, in which Omar's mother asked about his future fate. It may be rendered thus:

"Oh Thou who burn'st in Heart for those who burn
In Hell, whose fires thyself shall feed in turn.
How long be crying. Mercy on them God
Why, who art Thou to teach, and He to learn?"

The Bodleian Quatrain pleads Pantheism by way of justification.

"If I myself upon a looser Creed
Have loosely strung the Jewel of good deed.
Let this one thing for my Atonement plead
That One for Two I never did misread

The Reviewer, to whom I owe the particulars of Omar's life, concludes his review by comparing him with Lucretius, both as to natural temper and genius, and as acted upon by the circumstances in which he lived. Both indeed were men of subtle, strong, and cultivated intellect, fine imagination, and hearts passionate for truth and justice who justly revolted from their Country's false Religion, and false, or foolish, devotion to it; but who fell short of replacing what they subverted by such better hope as others, with no better revelation to guide them, had yet made a law to themselves. Lucretius indeed, with such material as Epicurus furnished, satisfied himself with the theory of a vast machine fortuitously constructed, and acting by a law that implied no Legislator; and so composing himself into a Stoical rather than Epicurean severity of Attitude, sat down to contemplate the mechanical drama of the Universe which he was part Actor in; himself and all about him (as in his own sublime description of the Roman Theater) discolored with the lurid reflex of the curtain suspended between the Spectator and the Sun. Omar, more desperate, or more careless of any so complicated System as resulted in nothing but hopeless necessity, flung his own Genius and learning with a bitter or humorous jest into the general Ruin which their insufficient glimpses only served to reveal; and pretending sensual pleasure, as the serious purpose of life, only *diverted* himself with speculative problems of Deity, Destiny, Matter and Spirit, Good and Evil, and other such questions, easier to start than, to run down, and the pursuit of which becomes a very weary sport at last!

With regard to the present translation, the original Rubaiyat (as, missing an Arabic Guttural, these *Tetrastichs* are more musically called) are independent Stanzas, consisting each of four Lines of equal, though varied, Prosody; sometimes *all* rhyming, but oftener (as here imitated) the third line a blank. Somewhat as in the Greek Alcaic, where the penultimate line seems to lift and suspend the Wave that falls over in the last. As usual with such kind of Oriental Verse, the Rubaiyat follow one another according to Alphabetic Rhyme-a strange succession of Grave and Gay. Those here selected are strung into something of an Eclogue, with perhaps a less than equal proportion of the "Drink and make merry," which (genuine or not) recurs over-frequently in the Original. Either way, the result is sad enough: saddest perhaps when most ostentatiously merry: more apt to move sorrow than Anger toward the old tentmaker, who after vainly endeavouring to unshackle his steps from destiny, and to catch some authentic glimpse of To-MORROWS!) as the only ground he had got to stand upon, however momentarily slipping from under his feet.

EDWARD J. FITZGERALD

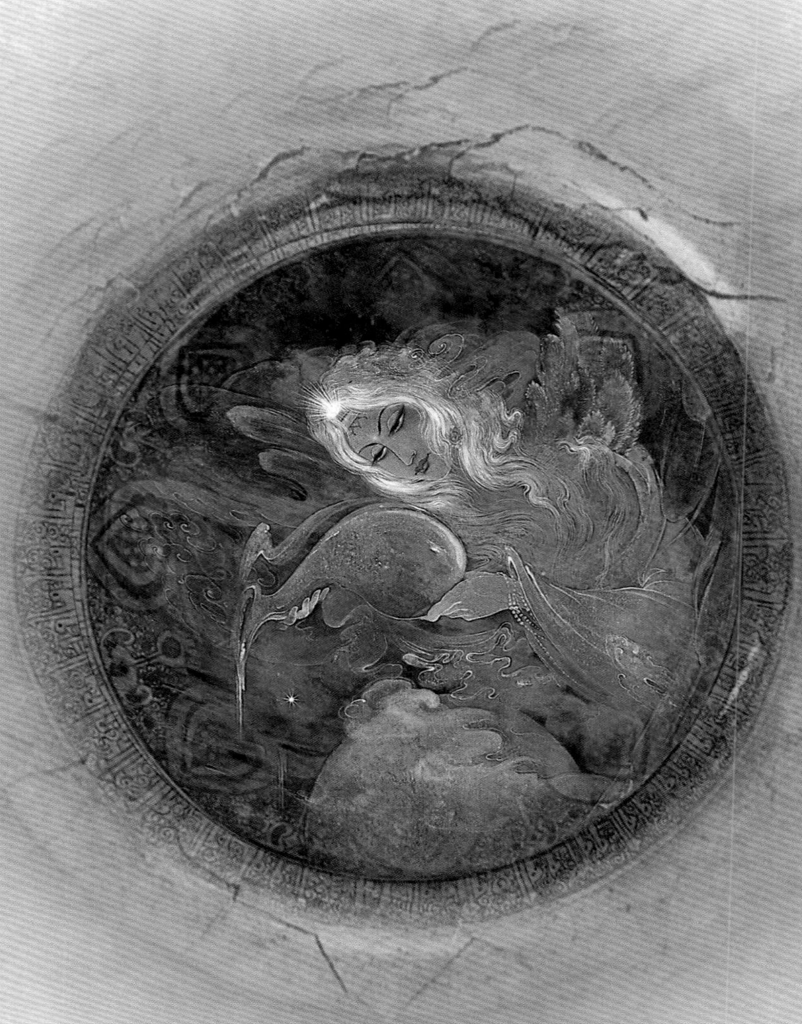

Les Rubâïyat d'

OMAR KHAYYAM

En persan , anglais , français et allemand

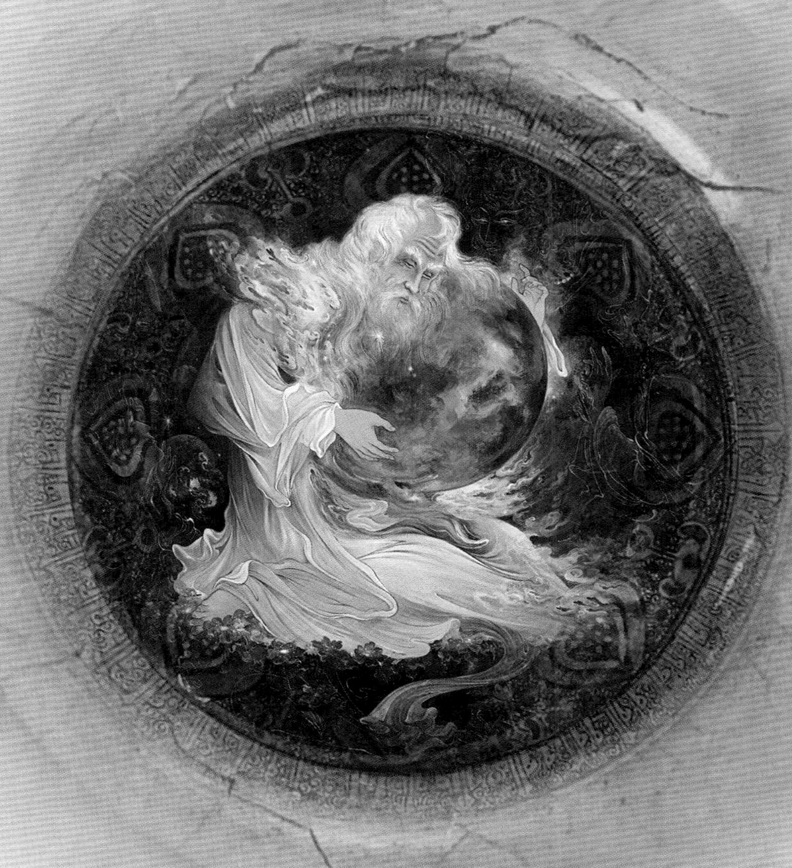

Version et Introduction française

A.G. ETESSAM-ZADEH, VINCENT MONTEI ET A.H. KAVOOSI

Préface

Fitz-Gerald qui , le premier, en Angleterre, fit entrer dans la lumière le nom d'Omar Khayyam, fut aussi le premier-à tout seigneur tout honneur!-à commettre une erreur regrettable. Le délicieux poète anglais publia, en 1859, un recueil de quatrains dont le sujet avait été inspiré par la lecture d'un vieux manuscrit persan qui se trouve à la « Bodleian Library » d'Oxford et contient 158 quatrains attribués au grand poète de Nichapour . Mais Fitz-Gerald en présentant son chef-d' oeuvre comme une traduction des Rubâïyat d'Omar Khayyam, eut évidemment tort, et voici pour quelles raisons.

On appelle rubâï un genre particulier de quatrain persan dont les premier, deuxième et quatrième vers riment entre eux, tandis que le troisième est un vers blanc. En outre, les rubâïyat se font sur un rythme unique, spécial, toujours le même. Donc, au point de vue technique, le rubâï est soumis à des règles sévères qu'il faut observer à tout prix, sans quoi il n'y aurait plus de rubâï. Au point de vue poétique, les règles sont tout aussi rigides. Un rubâï est un petit poème complet qui doit exprimer une idée précise. En outre, il doit être clair, concis, très gracieux s'il traite un sujet galant, très profond s'il exprime une pensée philosophique. En un mot, le rubâï, persan ressemble étrangement au sonnet français ; et les poètes persans qui ont produit de beaux rubâïyat, sont aussi rares que les poètes français ayant réussi de parfaits sonnets.

De la définition qui précède, l'on déduira sans peine qu'un rubâï doit, forcément, être un tout complet et ne pourrait, par conséquent, être lié à d'autres rubâïyat, comme l'a osé Fitz-Gerald , et comme, plus récemment, en France, M. Claude Anet s'est efforcé de le faire.

Omar Khayyam n'était pas un athée, mais un adepte de la doctrine soufie, laquelle est essentiellement monothéiste. Cette doctrine, Omar Khayyam la résume allégoriquement dans un de ses quatrains.

« Les gouttes d'eau sorties de l'Océan y retourneront d'une façon ou d'une autre. » L'homme est une infime partie du grand Tout qui est la Divinité, donc, il peut et doit, par la contemplation et par l'extase, arriver jusqu'à Dieu, mieux encore, s'identifier avec Lui. L'individu, pour peu qu'il le veuille, finira par se résorber dans le Plérome, dans l'Être Universel, et ce sera là pour lui, le vrai bonheur, la suprême béatitude. Dès lors, à quoi bon s'inquiéter de l'Enfer et du Paradis ? Car s'il existe un Enfer, il est en nous-mêmes, dans la façon dont nous comprenons la vie. L'Enfer, c'est la bêtise humaine, c'est la méchanceté, c'est la laideur, c'est le mensonge et le remords ; tandis que le Paradis, c'est la joie d'être bon, c'est la douceur de vivre, c'est la coupe pleine d'un vin capiteux, c'est le printemps, c'est la beauté, c'est le joli visage d'un être aimé, c'est le chant du rossignol et le doux son de la harpe, c'est le plaisir de l'heure fugitive, c'est l'ineffable sentiment fait à la fois de joie, d'orgueil et d'amers regrets, qui nous fait penser que le gracile corps de celle qu'on possède sera bientôt réduit en poussière; que notre crâne rempli de tant de passions deviendra peut-être une pauvre cruche dans une taverne et que-ô suprême et délicieuse consolation !- même après notre mort, nous pourrons ainsi servir à répandre un peu de joie. Tout ce qui est bon, tout ce qui est beau, tout ce qui est capable d'engendrer l'extase peut nous rapprocher de l'Être Universel, d'Ormuzd, de Jeovah, du Nirvâna ; car, n'est-ce pas ? le nom qu'on donne à Dieu n'a aucune espèce d'importance.

« Dans ton carnet d'amour inscris un nom quelconque, et raille, après, le Ciel et la Damnation ! »

Dieu n'est pas, ne peut pas être un tyran. Alors pourquoi se plier sottement aux dogmes tyranniques d'une quelconque religion ? Jeûner, prier, faire des pèlerinages, ce ne sont là que des manières bonnes pour les esprits bornés. On peut atteindre au But suprême par des chemins infiniment plus courts, infiniment plus agréables. Les dévots-s'ils n'étaient toujours hypocrites-pourraient bien finir par entrer dans le Paradis, dont ils ont d'ailleurs une piètre idée ; mais un soufi n'a pas besoin de tant de simagrées. Il lui suffit de « jouir » en contemplant les merveilles du monde. Regardez donc le Firmament , admirez donc la splendide Nature, enivrez-vous donc du vin couleur de rubis et de baisers des lèvres vermeilles ! A quoi servent tant de belles choses si ce n'est pour le ravissement de nos yeux ? A quoi servent les jolies filles de Chiraz et de Samarkand,si ce n'est pour vous donner l'affolante ivresse des étreintes passionnées ?

Omar Khayyam en fait l'expérience et s'en trouve bien. Il mène une vie digne de sa philosophie. Il a des amis nombreux, une santé robuste, une fortune considérable et la gloire par-dessus le marché ! Le roi de Perse, Sultan Sendjer, le traite en égal et le fait asseoir à côté de lui sur le trône. Bref , il a tout ce qu'il faut pour être heureux. Et il est heureux, effectivement. D'ailleurs, comment ne le serait-il pas, lui qui connaît le prix d'une minute de joie ?

« Sois gai ! d'un seul clin d'œil dépend la vie humaine, Et ce clin d'œil lui-même est déjà le Néant… »

Mais Khayyam ne se contente pas d'être gai, il veut que tout le monde soit heureux et il répand autour de lui cette joie de vivre. Il passe des nuits entières en compagnie de ses amis auxquels il enseigne pratiquement cet art de « jouir » des bonnes choses. Un soir, un malencontreux coup de vent éteint sa chandelle et renverse sa cruche de vin. Le poète improvise un quatrain sur ce sujet et plaisante, à sa façon, la divinité.

« c'est moi qui bois, c'est Toi, Seigneur, qui fais l'ivrogne.

O blasphème ! es-tu donc ivre, ô Maître divin ? »

Evidemment, il n'en fallait pas davantage pour que ses ennemis le traitassent d'athée et ceux qui ont l'air de le croire insultent gratuitement à la mémoire d'un vrai croyant.

Omar Khayyam n'est pas seulement poète et philosophe ; il est aussi astronome et mathématicien. Il étudie les mystères du Ciel, et pour un homme comme lui, comprendre l'infini, c'est déjà de l'extase. Il jongle avec les chiffres, et l'effroyable précision des mathématiques lui prouve combien sont vagues les théories inventées par les prêtres de toutes les religions . Mais il se délasse de ses études scientifiques en ciselant quelques-uns de ces purs joyaux que sont ses quatrains, et l'inspiration qu'il puise dans l'amour et dans le vin lui démontre clairement que jouir des bonnes choses que Dieu nous donne, c'est encore la meilleure manière de croire en Dieu.

Bien mieux, Khayyam n'est pas un soufi ordinaire. Il appartient à une branche curieuse de la secte soufie qu'on appelait « mélamétiyeh » (Les blâmés) et dont les adeptes mettaient une sorte d'obstination à se faire mal juger des ignorants. A cet effet, ils commettaient ouvertement tous les actes que le monde ā l'habitude de considérer comme des péchés, parce qu'ils trouvaient une sorte de jouissance à se voir « blâmer » par ceux qu'ils méprisaient.

Omar Khayyam était donc bel et bien un vrai mystique comme le sont d'ailleurs tous les poètes persans. Même Hafiz, le plus pur lyrique de la Perse, ā ses moments de mysticisme. Au demeurant , tous les Persans sont des mystiques. Nous sommes, nous autres Persans, contemplatifs par hérédité, pour ainsi dire mystiques de naissance. Nous ne savons si c'est un défaut aux yeux des Occidentaux, lesquels sont gens pratiques.

Les Rubâïyat d'Omar Khayyam ont été traduits en plusieurs langues (français, anglais, allemand, italien, hongrois, espagnol, turc, arabe, etc.) ; mais les traductions anglaises et françaises sont les plus nombreuses.

La première traduction française de ces quatrains fut donnée, en 1867, par Nicolas, consul de France à Téhéran. Cette traduction est détestablement mauvaise ; mais il faut lui rendre cette justice : comme l'œuvre de Fitz-Gerald en Angleterre, celle de Nicolas eut le don d'attirer l'attention du public français sur les quatrains d'Omar Khayyam. Après Nicolas, plusieurs écrivains français, dont MM. Charles Grolleau, Fernand Henry, Lascaris, Jean Marc Bernard, Charles Sibleigh, Robert Delpeuch, Roger Cornaz, Franz Toussaint et Claude Anet ont publié des traductions en prose de ces quatrains. M. Jules de Marthold en donné une traduction en vers français. Il a bien observé les règles de la prosodie persane, et cela, naturellement, dans la mesure de ses moyens ; mais son style, très inégal, passe de l'extrême finesse au prosaïsme le plus lourd.

Quant aux éditions persanes des Rubaïyat, elles sont beaucoup trop nombreuses pour que nous puissions en parler nommément. Les meilleures ne sont pas celles de Bombay ou de Recht, mais plutôt celles de Téhéran et de Berlin d'après lesquelles nous avons fait la présente traduction.

Il va sans dire que le nombre des quatrains n'est jamais le même dans les deux éditions différentes. Mais en général ce nombre varie entre 300 et 500. Les quatrains authentiques sont reconnaissables à leur vigueur, à leur concision, à leur élégance, en un mot à leur perfection. Mais il arrive parfois qu'un quatrain apocryphe, sorti d'une main de maître et fourvoyé parmi ceux de Khayyam, trompe la perspicacité du plus fin connaisseur. Néanmoins, lorsqu'on étudie longuement l'œuvre de Khayyam et qu'on finit par se familiariser avec sa manière, l'on arrive, assez malaisément d'ailleurs, à distinguer le faux du vrai. Or, les quatrains de Khayyam sont beaucoup plus nombreux que ne le prétend le manuscrit de la « Bodleian Library ». En effet, il est inadmissible qu'un génie comme le grand poète de Nichapour n'ait composé durant toute sa longue vie que 158 quatrains. A notre humble avis, Omar Khayyam qui improvisait ses rubâïyat au gré de ses moments d'extase, c'est-à-dire, le plus souvent, au milieu d'un festin ou d'une partie fine, omettait de transcrire ses chefs-d'oeuvre ; et ses amis ne pensaient pas toujours à la poésie et, plus tard, ne se rappelaient plus les divines paroles du maître. Il est donc plus que probable que les quatrains dont on trouve ici la traduction ne sont qu'une partie de l'œuvre d'Omar Khayyam. Le reste a été perdu, oublié sans doute.

Nous ne prétendons point par là que tous les quatrains contenus dans ce volume soient absolument authentiques. Il se peut que des quatrains apocryphes s'y soient glissés ; mais s'il en existe, ils doivent appartenir à quelque maître de la littérature persane, car nous n'avons traduit que les quatrains les plus parfaits, laissant de côté tout ce qui était faible, boiteux , sans grâce ou bien par trop tarabiscoté. En tous cas, nous ne craignons pas d'avoir trahi la pensée de Khayyam, comme la plupart des traducteurs européens. Etant Persan, nous pouvons, sans présomption aucune, déclarer que cette traduction est la plus exacte qu'on ait donnée jusqu' à ce jour des quatrains du grand poète persan, et nous espérons que la probité avec laquelle nous avons essayé de rendre en français la pensée de style ou de prosodie que les lecteurs de langue française pourront trouver dans la traduction .

A.G.E'tessam-Zadeh

ROBAIYYAT
VON
OMAR KHAYYAM

Deutsch , Englisch , Französisch & Persisch

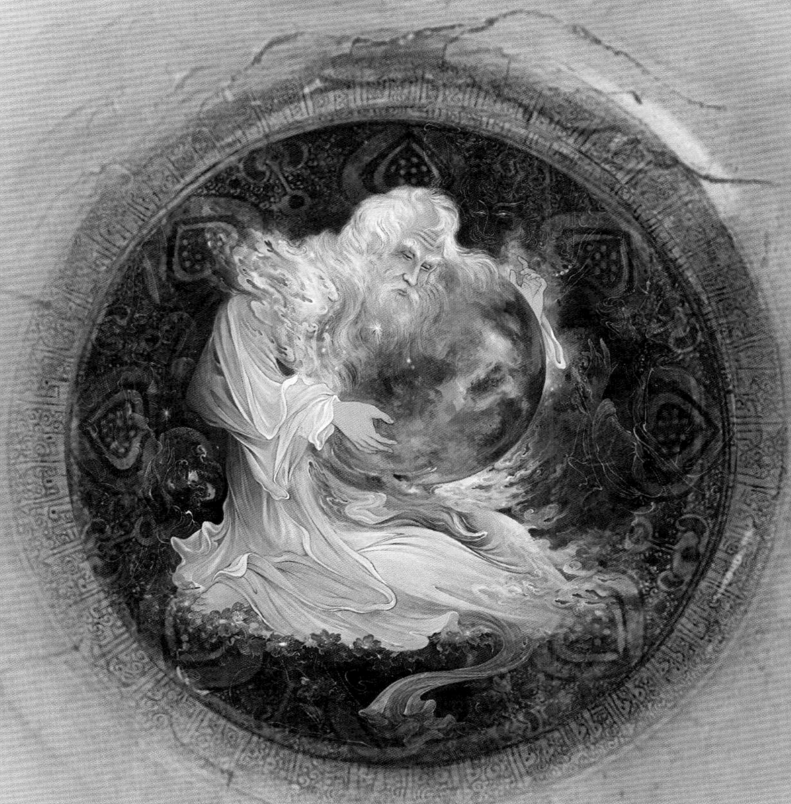

Übertragen aus dem Persischen ins Deutsche von

LEOPOLD UND KAMRAN DJAMALI

Omar Khayyam

Das ist wahr, dass Omar Khayyam keinesfalls in erster Linie Dichter war, sondern Astrologe, Mathematiker, Arzt, Philosoph und Wissenschaftler; doch ist das auch wahr, dass dieses merkwürdige und staunenswerte Phänomen seinen Weltruhm diesen relativ wenigen Vierzeilern verdankt, wie der bezaubernden Nachdichtungen des englischen Dichters ((Edward Fitzgerald)).

Er lebte in einer Epoche, in der die islamischen Kommentatoren und Mullas alles, was die Philosophie und Denkweisen betraf, dementierten. In so einem Zeitalter trat ein Mann auf, der alle Äusserungen der Fanatiker, Frömmler und Mächtigen bezweifelte und allen populären und religiösen Überzeugungen (u.a. Gott) seinen Zweifel entgegensetzte und in sehr gefährlichen Dingen jener Zeit Fragen stellte und darüber einleuchtend spöttische Verse anfertigte.

Nicht zuletzt aus diesen Gründen sind um ihn wunderliche Legenden gesponnen. Die Legenden, die nicht zu glauben sind, aber sie sind liebenswürdig. Wie der neulich verstorbene Prof.Dr.Zarrinkoob irgendwo bemerkte:„In seinen Robaiyat [= Vierzeilern] verteidigt und lobt er offensichtlich den Wein und den Rausch, und das in einem islamischen Land, in dem der Wein [= in dem wahren Sinn und nicht im genossischen Sinn als Essenz der Seele] … nicht erwähnt werden darf." Zarrinkoob schreibt dann über einige Legende, die um diesen Lyriker gesponnen wurden, aber wir erwähnen nur eine: Khayyam hatte einen fröhlichen Abend bei Wein, Weib, Ker … „ Plötzlich kam ein Windstoss, so dass der Weinkrug zerbrach und die Kerze erlosch. Der Dichter … improvisierte … !

Meinen Weinkrug zerbrachst du mir, o Rabbi [=Gott]
Die Pforte zur Lust verschliesst du mir, o Rabbi
Meinen reinen Wein schüttest du auf die Erde,
Asche auf mein Haupt, bist du denn trunken, Rabbi?

… Gottes Zorn liess [als Vergeltung] im Nu des Dichters Gesicht schwarz werden. Der … Alte bereute sich und rief aus:

Wer hat nie auf Erden gesündigt, so sprich,
Wie lebte der, der nie sündigte, so sprich,
So ich Schlechtes tu und du vergeltest's schlecht,
Was ist der Unterschied zwischen mir und dir sprich?

Der Herrgott vergab ihm ohne Zögern die Sünde, und sein Gesicht wurde wieder weiss."

(übersetzt von Fr. Dr. Purandokht Pirayesh)

Zweifellos lacht ein Historiker und Literaturforscher über solche Legenden. Aber sie zeigen gleichzeitig die Beliebtheit Khayyams unter seinen Lesern.

Omar Khayyam ist im Jahre 1048 geboren worden. In diesem Jahrhundert und in Nischabur, wo Khayyam lebte, gab es unter religiösen Sekten einen grausamen Kampf.

Die Sektierer versuchten, die Anhänger der anderen Sekten zu tyrannisieren. So ist das gar nicht verwunderlich, dass Khayyam aus Angst vor ((Geistlichen)), die jede Art freien Denkens eliminierten, nicht philosophierte, sondern er rief Trübsal blasend seine Klage über die Torheit und Pöbelei in seinen ewig lebenden Vierzeilern aus

Khayyam lebte 83 Jahre. Er starb 1131 in Nischabur.

Die Vierzeiler, die mit keinem Sternchen versehen sind, wurden von dem deutschen Autor ((Leopold)) nachgedichtet, die mit einem Sternchen versehenen Vierzeiler habe ich ins Deutsche übertragen.

Kamran Djamali

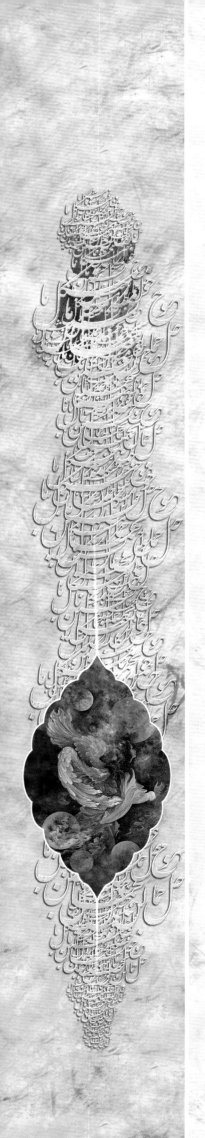

هان کوزه گرا بپای اگر هوشیاری

Oh potter, take care, if you are a reasonable being
How long will you treat the clay of men with contempt?
You may have brought Fereidun finger and Kaikhosrow hand
Upon your wheel, what so you think of that

** Ô potier ! sois prudent si tu as la sagesse ?
Cette boue de l'homme dont sous les pas tu la rabaisse,
Est les doigts de Férydoun et la paume de Khosrow.
Que penses-tu ? Sur la roue tu as les Rois de Perse !

* Sei vorsichtig, o Töpfer, wenn du den Bewusstsein hast nicht verloren,
Du hast in deiner Werkstatt nicht die Stäubchen von Toren.
Da behandelst du die Finger von Freidoun[1], und
Die Hände von Keikhossrou[2], nicht von Toren.

1.u.2. zwei mythologische iranische Könige

از آمدن بهار و از رفتن دی

Winter is past, and spring-time has begun
Soon will the pages of life's book be done!
Well saith the Sage, "Life is a poison rank,
And antidote, save grape-juice, there is none."

L' éternel retour du printemps et de l'hiver
Fait enrouler les feuillets de notre existence !
Va boire, sans tristesse, car ćest le sage qui dit:
"Les chagrins du monde sont poisons, leur contrepoison est le vin !"

Vom Frühling, der kommt, bis der Winter tritt ein,
Gehn die Blätter des Lebens nach und nach ein.
"Trink Wein" sagt der Hakim, "lass die Sorgen sein.
Der Welt Leiden ist Gift, ihr Theriak ist Wein".

هنگام صبوح ای صنم فرخ پی

And look- a thousand Blossoms with the Day
Woke-and a thousand scatter'd into Clay,
And this first Summer Month that brings the Rose
Shall take Jamshyd and Kaikobad away.

Idole, bienvenue aux heures du matin,
Fais-moi de la musique et donne-moi du vin !
Cent mille Djem et Key disparurent sous terre,
Dès que revint l'été, dès que l'hiver prit fin.

Geliebte, sieh! Der Morgen kommt herbei:
Bring Wein und sing ein Lied zu der Schalmei!
Denn dieser Monde flog von Tir(1) zu Dei(2)
Liess sterben hunderttausend Dscham(3) und Kei(4).

1.Tir: Anfang des Sommers
2.Dei: Anfang des Winters
3.u.4.: zwei mythische iranische Könige

هنگام سپیده دم خروس سحری

Do you know why in the early hour of dawn
The Cock cries in such Lamenting tones?
It means that in the mirror of the morning it is revealed
That from life another night has passed and
you are unaware of it

** Sais-tu ce qu'il chante le coq, au matin venant...
De sa voix plaintive en te réveillant ?
Dit-il : «On a montré dans le miroir de l'aube...,
L'image d'une nuit qui passe, toi tu restes ignorant ».

* Weiss du, warum am frühen Morgen
Kräht der Hahn so Trübsal blasend?
Er sagt: „ Im Morgensspiegel sieht man,
Eine Nacht von deinem Leben, die verging."

هان کوزه‌گرا بپای اگر هشیاری
تا چند کنی بر گِل مردم خواری
انگشت فریدون و کف کیخسرو
بر چرخ نهاده‌ای چه می‌پنداری

از آمدن بهار و از رفتن دی
اوراق وجود ما همی گردد طی
می خور مخور اندوه که فرمود حکیم
غمهای جهان چو زهر و تریاکش می

هنگام صبوح ای صنم فرخ پی
برساز ترانه‌ای و پیش آور می
کافکند به خاک صد هزاران جم و کی
این آمدن تیر مه و رفتن دی

هنگام سپیده‌دم خروس سحری
دانی که چرا همی کند نوحه‌گری
گویا که نمودند در آیینهٔ صبح
از عمر شبی گذشت و تو بی‌خبری

بخط هاشم زنیان ۱۳۶۸/۹/۶

گر کار فلک به عدل سنجیده بدی

Were the firmament guarded by justice
The ways of the world would all be proper
And were the spheres run by justice
When would the wise be so discouraged

** Si le monde aurait agi selon la justice,
Tout ce que touche l'homme serait loin des vices.
S'il éxistait la droiture dans la Roue-Tournante.
Les penseures n'eussent été point soumis au supplice.

Wenn Gerechtigkeit herrschte auf der Welt,
So würde es allen besser gehen in der Welt.
Würden Weise nie zu leiden haben,
Wenn alles gerecht war in der Welt!

گر دست دهد ز مغز گندم نانی

Here with a Loaf of Bread beneath the Bough
A flask of Wine, A Book of Verse and thou
Beside me singing in the Wilderness
Oh, Wilderness were Paradise enow!

Si j'ai un bon gros pain, fait de pure farine.
Un broc de vin et un beau gigot de mouton,
Et qu' avec mon amour je sois dans quelque ruine :
Voilà bien des plaisirs de roi, me dira-t-on.

Mit einem Weizenbrot, mit einem grossen Kolben,
Der voll ist vom Wein. Und auch mit Schaffleisch,
Doch auch mit meinem Liebchen in einem Garten-
Bin ich dann der Weltkönig, aber auf Stirn ohne Falten.

در کارگه کوزه گری کردم رای

I passed the potter's workshop
I saw the Master standing on the tread of his wheel
That bold fellow was making a handle and lid for a jug
From the head of a king and the foot of a beggar

** Je fis un pas à la boutique d'un potier.
Le maître devant la roue faisait son métier.
Moulant glaise pour une cruche : la tête et une anse,
Du crâne d'un roi, et la main d'un pauvre, sans pitié

Einen Töpfer hab' ich beim Werke gesehen
Den Krügen Hälse und Henkel zu drehen;
Er nahm den Stoff zu den Thongeschöpfen
Aus Bettlerfüssen und Königsköpfen.

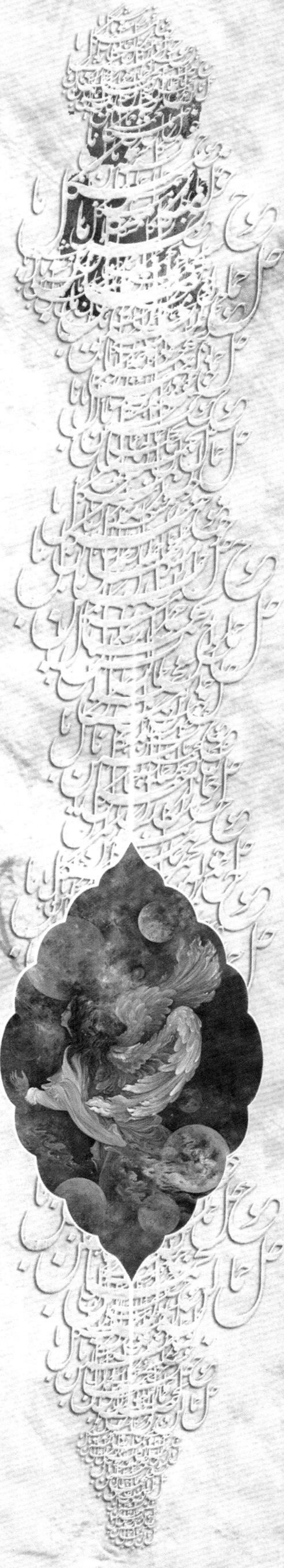

زان کوزه ی می که نیست در وی ضرری

Of the jug in which is no harm
Fill up a cup, drink, and give me one
Before the potter into a jug does mold
Your cay and mine, my love, on the road.

Cette cruche de vin est bonne : c'est la mienne .
Bois un verre, offre-m'en un autre. Et dis-toi bien
Qu'un potier fera une cruche, ici, demain,
Avec la poudre de mes os, avec la tienne.

Vom Wein des Krugs, der keinen Schaden verursacht,
Trink einen Kelch und gib mir auch einen mit Bedacht!
Bevor wir das als Schicksal hinnehmen zu müssen,
Dass ein Töpfer einen Krug aus deinem und meinem Staube macht!

گر کار فلک به عدل سنجیده بدی
احوال فلک جمله پسندیده بدی
ور عدل بدی به کارها در گردون
کی خاطر اهل فضل رنجیده بدی

گر دست دهد ز مغز گندم نانی
وز می دو منی ز گوسفندی رانی
با لاله رخی و گوشه بستانی
عیشی بود آن نه حد هر سلطانی

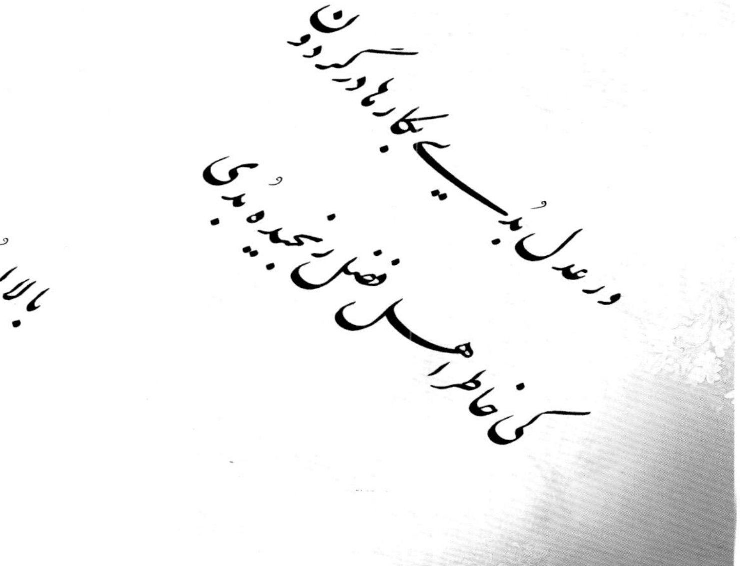

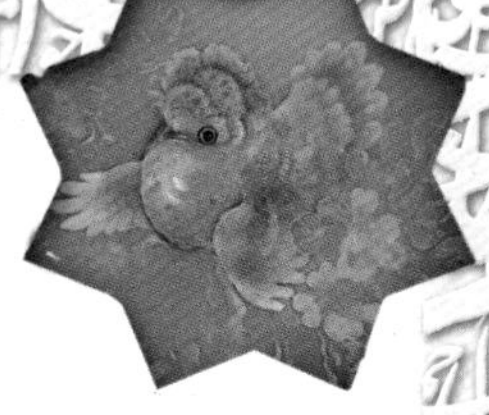

در کارگه کوزه‌گری کردم رای
در پایهٔ چرخ دیدم استاد بپای
می‌کرد دلیر کوزه را دسته و سر
از کلهٔ پادشاه و از دست گدای

زان کوزهٔ می که نیست در وی ضرری
پر کن قدحی بخور بمن ده دگری
زان پیشتر ای صنم که در رهگذری
خاک من و تو کوزه کند کوزه‌گری

برگیر پیاله و سبو ای دلجوی

With me along some Strip of Herbage strown
That just divides the desert from the sown,
Where name of Slave and Sultan scarce is known,
And pity Sultan Mahmud on his Throne.

Lève ta coupe et ton flacon, ô mon amour,
Et va le long des prés, au bord de la rivière.
Les coupes, les flacons son faits de la poussière
De cent jeunes beautés, défuntes tour à tour.

O mein Liebchen, nimm doch den Weinkrug und den Kelch,
Im Feld neben dem Bach setz dich ruhig, wobei in deiner Hand Kelch!
So viele lieben Menschen durch das Schicksalsrad zu Kelch
Wurden mehrmals aber doch zu Krug und Kelch!

خوش باش که پخته اند سودای تو دی

With Earth's first Clay They did the Last Man's Knead,
And then of the Last Harvest sow'd the Seed:
Yea, the first Morning of Creation wrote
What the Last Dawn of Reckoning shall read.

Amuse-toi ! D'avance on régla ton destin
En marquant pour tes vœux un mépris souverain.
Vis donc joyeux ! Hier, sans que tu le demandes,
On a déjà fixé tes actes de demain .

* Sei fröhlich, gestern wurde dein Schicksal bestimmt
Gestern hat man sich von deinem Bitten befreit bestimmt
Was bleibt zu erzählen, denn gestern ohne dein Wunsch
Wurde dein Morgen vorbestimmt!

بر سنگ زدم دوش سبوی کاشی

Yesterday I knocked my earthenware wine-jug
against a stone
I must have been inebriated to have Committed
such an offence
It seemed as if the jug thus spoke to me:
" I have been as thou and thou and thou wilt be as I ."

Hier, au soir; j'étais ivre et j'ai jeté mon bol
Par terre : il s'est brisé aussitôt sur le sol .
Et c'était comme si montait une prière :
« J'étais un homme, et tu redeviendras poussière. »

* Auf einen Stein warf ich heute Nacht einen Krug
Fröhlich war ich, dass ich mich benahm wie ein Tunichtgut
Der Krug war, als spräche er mich an:
Ich war wie du, nun bist du wie ich so gut.

ای کاش که جای آرمیدن بودی

Would but the Desert of the Fountain yield
One glimpse if dimly, yet indeed, reveal'd,
Toward which the fainting Traveler might spring,
As springs the trampled herbage of the field!

Plût à Dieu qu'ily eût un reposoir champêtre,
Ou qu'au bout du chemin, le but pût apparaître !
Ou pu'après cent mille ans l'homme, tel un gazon,
Pût, du sein de la Terre, un jour enfin renaître

Ja wenn die Wüste einen Schimmer nur
Uns schenkte, der uns lenkte auf die Spur
Des Quells, zu dem der Wanderer schmachtend springt,
Wie Gras aufspringt zertreten auf der Flur!

برگیر پیاله و سبو ای دلجوی
فارغ بنشین بکشتزار و لب جوی
بس شخص عزیز را که چرخ بدخوی
صد بار پیاله کرد و صد بار سبوی

خوش باش که پخته‌اند سودای تو دی
فارغ شده‌اند از تمنای تو دی
قصه چه کنم که بی تقاضای تو دی
دادند قرار کار فردای تو دی

بر سنگ زدم دوش سبوی کاشی
سرمست بدم که کردم این اوباشی
با من به زبان حال می‌گفت سبو
من چون تو بدم تو نیز چون من باشی

ای کاش که جای آرمیدن بودی
یا این ره دور را رسیدن بودی
کاش از پی صد هزار سال از دل خاک
چون سبزه امید بردمیدن بودی

از کوزه گری کوزه خریدم باری

A jug I bought from a potter
The jug came to talk all secrets:
"A king was I with the golden gablet
now a jug I come to every common drunkard"

** J'achète une cruche chez un potier , au hazard.
Le pot me révèle les secrets du temps des fêtards :
Un roi qui prenait son vin dans des gobelets en or...
Devenu maintenant la cruche de vin des soûlards .

Einst ich von einem Töpfer einen Krug erstand,
Seine Geheimnisse fiel von ihm mir in die Hand:
„ Damals war ich ein König und hatte einen
Pokal aus Gold in der Hand,
Jetzt als Krug jedes Schenks in der Hand! "

تا کی غم آن خورم که دارم یا نه

Were it not folly, Spider-like to spin
The Thread of present life away to win-
What? For ourselves, who know not if we shall
Breathe out the very Breath we now breathe in!

Jusqu'à quand songer : quel sera mon Empire ?
Vivrai-je dans la joie ou bien dans le martyre ?
Remplis ma coupe, ami, j'ignorre en vérité
Si je vais rendre ou non le souffle que j'aspire .

Mit Weltschmerz deine Seele plage nicht!
Um das, was einmal hin ist, klage nicht!
An Wein und süssen Lippen lab dein Herz
Und in den Wind dein Leben schlage nicht!

بنگر ز صبا دامن گل چاک شده

Behold the robe of the rosebud has been torn by the zephyr
The nightingale is inspired by the beauty of rose
Rest in the shade of rosebush, for such rose
Has often grows out of the soil, While we lie under the earth

La brise a déchiré la robe de la rose
Et l'on entend chanter la voix du rossignol .
Demeure donc assis à l'ombre de la rose,
Car elle va bientôt s'effeuiller sur le sol.

* So schön zerriess den Schoss der Blume der Wind,
Wodurch so fröhlich die Nachtigalle sind.
Lass dich im Schatten dieser Blumen nieder, die
Viele Male zur Erde fallen, als wir auch Erde geworden sind.

از تن چو برفت جان پاک من و تو

When your pure soul and mine shall leave our bodies
They will place one or two bricks on your grave and on mine
And then, so as to make bricks for the graves of others?
They will fill the brickmaker's from with your clay and with mine

Quand nos deux corps perdront mon âme avec la tienne.
Les os des morts seront ma tombe avec la tienne .
Et plus tard , des maçons, pour bâtir un tombeau,
Viendront déterrer ma poussière avec la tienne.

* Wenn dein und mein Leib ohne Seele unter der Erde liegen
Über meine und deine Grabsteine Vögel fliegen,
Dann formt man aus unserem Staub auch Grabsteine,
Die später auf die Gräber der anderen werden liegen.

از کوزه گری کوزه خریدم باری
آن کوزه سخن گفت ز هر اسراری
شاهی بودم که جام زرّینم بود
اکنون شده‌ام کوزهٔ هر خمّاری

تا کی غم آن خورم که دارم یا نه
وین عمر به خوشدلی گذارم یا نه
پر کن قدح باده که معلومم نیست
کاین دم که فرو برم برآرم یا نه

بگذر ز صبا دامن گل چاک شده
بلبل ز جمال گل طربناک شده
در سایه گل نشین که بسیار این گل
در خاک فرو ریزد و ما خاک شده

از تن چو برفت جان پاک من و تو
خشتی دو نهند بر مغاک من و تو
وانگاه برای خشت گور دگران
در کالبدی کشند خاک من و تو

آن قصر که با چرخ همی زد پهلو

The palace that to Heav'n his pillars threw,
And Kings the forehead on his threshold drew-
I saw the solitary kingdove there,
And "coo, coo, coo," she cried and "coo, coo, coo,"

Ce palais qui narguait les cieux, plein d'orgueil,
Et dont les plus grands rois venaient baiser le seuil,
Eh bien ! Sur son donjon, je vois un coucou triste
Qui répète : "Kou.. Kou.. ?..Kou..Kou !" d'un air de deuil.

War einst ein Schloss, das bis zum Himmel ragte,
Vor dessen Mauern Königsstolz versagte,
Auf dessen Trümmern klagt jetzt des Täubchens Ruf,
Der klingt, als ob's nur wo, wo? wo, wo? fragte.

اسرار ازل را نه تو دانی و نه من

There was a Door to which I found no key,
There was a Veil past which I might not see:
Some little Talk awhile of Me and Thee
There seemed-and then no more of Thee and Me.

Nous ignorons tous deux les secrets absolus.
Ces problèmes jamais ne seront résolus.
Il est bien question de nous derrière un voile ;
Mais quand il tombera, nous n'existerons plus.

Das Rätsel dieser Welt löst weder du noch ich,
Jene geheime Schrift liest weder du noch ich.
Wir wüssten beide gern, was jener Schleier birgt,
Doch wenn der Schleier fällt, bist weder du noch ich.

از دی که گذشت هیچ ازو یاد مکن

Ah, fill the Cup:-what boots it to repeat
How Time is slipping underneath our Feet:
Unborn To-morrow, and dead Yesterday,
Why fret about them if To-day be sweet!

Hier est déjà loin ; quoi bon qu'on y pense ?
Demain n'est pas venu ; pourquoi gémir d'avance ?
Laisse ce qui n'est plus ou qui n'est pas encor ;
Que l'instant même prends ta part de jouissance !

* Das Gestern ist vorbei, das weiss das Jahr.
Das Morgen ist noch nicht da, das ist auch wahr.
Gab nur gestrichen vom Kalenderblatt
Den Tag, der noch nicht ist, und den, der war.

برخیز و مخور غم جهان گذران

Get up and forget the cares of the ephemeral world
Enjoy yourself and spend your brief moment in fun
For if the world were faithful by nature
Your turn would not come before others

** Lève toi! Laisse là, pour ce monde passager, tout souci.
Ne pense point aux instants qui passent, réjouis !
Si le monde était d'une nature toujours constante.
Il n'aurait eu pas te donner le tour d'autrui.

* Heb auf; mach dir keine Gedanken über die vergängliche Welt,
Führ dein Leben dazu, wie es dir immer gefällt.
Wenn diese Welt einem treu bleiben sollte
Wärest du nicht an der Reihe vor den anderen auf der uralten Welt.

آن قصر که با چرخ همی زد پهلو
بر درگه آن شهان نهادندی رو
دیدیم که بر کنگره‌اش فاخته‌ای
بنشسته همی گفت که کوکو کوکو

اسرار ازل را نه تو دانی و نه من
وین حرف معما نه تو خوانی و نه من
هست از پس پرده گفتگوی من و تو
چون پرده برافتد نه تو مانی و نه من

از دی که گذشت هیچ از و یاد مکن
فردا که نیامده است فریاد مکن
بر نامده و گذشته بنیاد مکن
حالی خوش باش و عمر بر باد مکن

بر خیز و مخور غم جهان گذران
بنشین و دمی به شادمانی گذران
در طبع جهان اگر وفایی بودی
نوبت به تو خود نیامدی از دگران

یک چند به کودکی به استاد شدیم

With them the Seed of Wisdom did I sow,
And with my own hand labour'd it to grow:
And this was all the Harvest that I reap'd-
"I came like Water, and like wind I go."

J'avais un maître alors que j'étais un enfant .
Puis je devins un maître et, par là, triomphant.
Mais écoute la fin: tout cela fut en somme
Un amas de poussière emporté par ce vent.

Zum Meister ging ich einst - das war die Jugendzeit -
Dann hab ich mich der eigenen Meisterschaft gefreut,
Und wollt ihr wissen, was davon das Ende ist?
Den Staubgeborenen hat wie Staub der Wind zerstreut.

یک روز ز بند عالم آزاد نیم

I am not free from the bonds of this world
I am not satisfied with my own existence
All my life I have been a devoted disciple of the times
Yet I have not become a master of fortune

** Je ne me sens pas libre des fers du monde, un seul jour !
Jamais sentirai-je la joie de vivre, même un temps court !
L'apprenti étais-je, lors des périodes qui passèrent,
Ne devenant pas encore un maître à mon tour.

* Keinen Tag bin ich ohne Sorge in dieser Welt.
Lebe ich nie so, wie es mir immer gefällt.
Lebenslang war ich Geselle in der Weltwerkstatt,
Immer noch bin kein Meister in Frage nach der Welt.

پاک از عدم آمدیم و ناپاک شدیم

We have come pure from non-existence, and
 we have become impure
We have come here tranquil and we have become sad
Through the water of our eyes we have been
 thrown into the fire of our heart
We gave our life to the winds and we reburied under the earth

Venus purs du néant, nous en partons impurs
Venus heureux, nous repartons pleins de misère.
L'eau des pleurs dans les yeux, au cœur un feu obscur,
Nous rendons l'âme à l'air et mourons dans la terre.

* Rein kamen wir alle aus dem ((Nicht-Sein)),
Auf der Welt wurden wir alle unrein.
Wir lebten verzweifelt kurz oder lang
Und verliessen die Welt, die zu uns war nur bang.

من بی می ناب زیستن نتوانم

How can I live without pure wine? Impossible!
How can I carry the weight of my body without wine? Impossible!
Oh I die for the moment when saki asks
To offer one more Cup, and I just say: Impossible!

** Je ne puis vivre sans prendre du vin pur et fort.
Privé du jus j'éffondrai sous le poid du corps.
Serai-je l'esclave de l'échanson quand il me dit :
« Une coupe encore ! » et elle me trouve ivre-mort.

* Ohne besten Wein kann ich nicht leben,
Auch nicht die Last meines Leibes heben.
Fasziniert such' ich den Moment, wo der Schenk sagt:
,, Trink einen Becher noch ! " , doch kann ich nicht nehmen.

یکچند به کودکی به استاد شدیم
یکچند به استادی خود شاد شدیم
پایان سخن شنو که ما را چه رسید
از خاک برآمدیم و بر باد شدیم

یکچند ز زر بس ز عالم آزادیم
یکچند ز مردان از وجود خود شادیم
شاگردی روزگار کردیم بسیار
در کار جهان بس نو استادیم

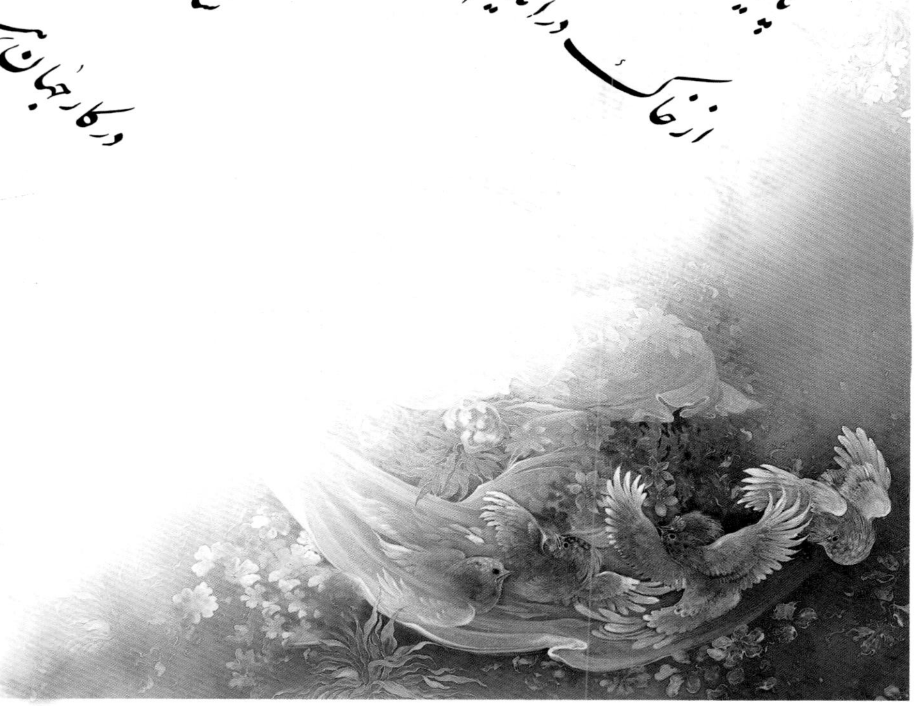

پاک از عدم آمدیم و ناپاک شدیم
آسوده در آمدیم و غمناک شدیم
بودیم ز آب دیده در آتش طبع
دادیم به باد عمر و در خاک شدیم

من بی می ناب زیستن نتوانم
بی باده کشید بار تن نتوانم
من بنده آن دمم که ساقی گوید
یک جام دگر بگیر و من نتوانم

چون نیست مقام ما در این دهر مقیم

Since we have no perpetual dwelling in this world
It is a big mistake to live without the wine and sweet heart
How long we relay on ETERNAL and CREATED!
When I pass this world whether it be ETERNAL and CREATED!

** L'arrêt dans ce monde, n'est point arrêté
Laisser le vin et l'amante est un bien grand tort .
Je ne m'occupe pas du « Créé » ni de l' « Eternel ».
« Eternel » ou « Créé » ; au diable ! après ma mort.

* Da unser Haus in dieser Welt nicht fortwährend ist,
Ist's Irrtum, wenn man ohne Wein und Geliebte ist.
Ob die Welt seit ewig besteht oder erschaffen ist,
Ist Tod die Erscheinung, die unvermeidlich ist.

دشمن به غلط گفت که من فلسفیم

The foe wrongly calls me philosopher
God knows that I am not what he claimes
But since I have interned into this nest of sorrows
Should I at least not Know what I am?

** L'ennemi me traite à tort un philosophe athé.
Dieu le sait que je ne l'ai jamais été.
Mais, étant tombé dans ce nid des chagrins ;
Ne dois-je pas savoir qui suis-je, et qui j'étais ?

* Mein Feind sagte listig, ich sei Atheist.
Gott weiss, dass es nicht so ist.
Da ich doch in dem Käfig voll Leiden bin,
Bin ich - Oweh - nicht im Stande zu wissen, was mit mir ist.

بر مفرش خاک خفتگان می بینم

I see a thousand souls on earth's bedroll
And I see another thousand hidden underneath
As much as I peer at the field of doom
I can only make out departed ones and the unborn

** Sur le tapis de terre je vois les endormis.
Sous la terre je ne vois personne, que les enfouis.
Plus j'obsèrve en regardant le désert du Néant,
Je vois ceux qui n'arrivent pas, et ceux qui sont partis.

* Auf dem Teppich der Erde seh' ich Stäubchen der Toten,
Auch unter der Erde seh' ich Stäubchen der Toten.
So oft ich die Wüste des Nichts anblicke, seh' ich
Die, die noch nicht kamen; und seh' ich die Stäubchen der Toten.

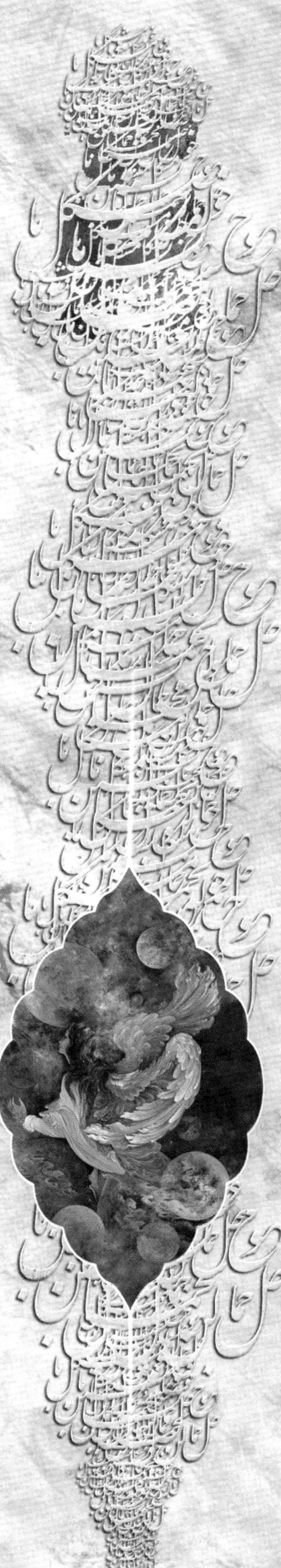

صبح است دمی با می گلرنگ زنیم

Oh, plagued no more with human or Divine,
To-morrow's tangle to itself resign,
And lose your fingers n the tresses of
The Cypress-slender Minister of Wine.

Voici l'aube ; buvons un peu de vin rosé
Que, pareil au cristal, notre honneur soit brisé !
Je ne veux plus pleurer mes vaines espérances :
La harpe et tes cheveux m'auront vite apaisé

* Es ist Morgendämmerung, trinken wir blumenfarbigen Wein
Entsinnen wir uns nicht mehr an das Ansehen, an das Sein.
Mit dem Ton der Harfe berühren wir des Liebchens Haare
Legen wir beiseite mein Begehren, verlangen und auch dein.

چون نیست مقام ما در این دهر مقیم
پس بی می و معشوق خطایی است عظیم
تا کی ز قدیم و محدث امیدم و بیم
چون من رفتم جهان چه محدث چه قدیم

دشمن به غلط گفت که من فلسفیم
ایزد داند که آنچه او گفت نیم
لیکن چو در این غم آشیان آمده‌ام
آخر کم از آنکه من بدانم که کیم

بر مفرش خاک خفتگان می‌بینم
در زیر زمین نهفتگان می‌بینم
چندانکه به صحرای عدم می‌نگرم
ناآمدگان و رفتگان می‌بینم

صبح است دمی بر می گلرنگ زنیم
وین شیشهٔ نام و ننگ بر سنگ زنیم
دست از امل دراز خود باز کشیم
در زلف دراز و دامن چنگ زنیم

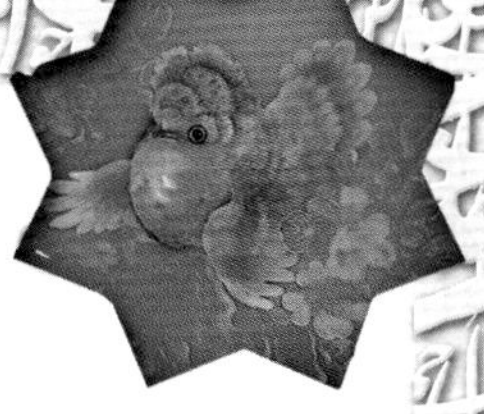

این چرخ و فلک که ما در او حیرانیم

For in and out, above, about, below,
Tis nothing but a Magic Shadow-show,
Play'd in a Box whose Candle is the Sun,
Round which we Phantom figures come and go.

Cet Univers, Où seul le vertige gouverne,
Rappelle en vérité la magique lanterne.
La lanterne est ce Monde et Phébus le foyer ;
Les hommes des dessins qu'un grand effroi consterne.

Dieses Weltall, mit dem wir uns schwindelnd drehen,
Ist wie eine Laterne anzusehen,
Drin die Sonne als Licht brennt, in bunten Reigen,
Uns Trugbilder – unseresgleichen – zu zeigen.

ای دوست بیا تا غم فردا نخوریم

Ah, my Beloved, fill the Cup that clears
To-day of past Regrets and future Fears-
To-morrow? Why, To-morrow I may be
Myself with Yesterday's Sev'en Thousand Years.

Ami, pas de souci pour notre lendemain !
Nous tenons le précieux aujourd'hui dans la main.
Demain, nous sortirons de cette ancienne auberge
Et nous rattraperons sept mille ans en chemin.

Komm, Freund, wir wollen nicht sorgen um morgen,
Wir halten als Beute das Gute von heute geborgen.
Verlassen wir morgen dann dies alte Gasthaus die Welt,
So werden wir Allen, die vor uns bewohnt dieses Rathaus, gesellt.

با سرو قدی تازه تر از خرمن گل

Do you within your little hour of Grace,
The waving Cypress in your Arms enlace.
Before the Mother back into her arms
Fold and dissolve you in a last embrace.

Près d'un minois plus frais qu'une rose au matin,
Garde en tes mains la rose et la coupe de vin.
Avant que, telle au vent la corolle des roses,
Tes jours, au vent de mort, soient emportés soudain.

Bei einer hoch und schlank, wie die Tanne, frischer als die Ros,
Nimm deine Hand nicht vom Kelch und von ihrem Schoss,
Bevor der Todeswind weht
und verweht unser Leben wie Blätter von der Ros!

از جرم گل سیاه تا اوج زحل

Up from Earth's Centre through the Seventh Gate
I rose, And on the Throne of Saturn sate,
And many Knots unravel'd by the Road,
But not the Knot of Human Death and Fate.

De la Terre à Saturne et beaucoup plus loin même,
J'ai pu résoudre enfin n'importe quel problème.
J'ai paré tous les coups et défait tous les nœuds
Hors le noeud de la Mort, cette énigme suprême.

Vom Grund der Erde durch das siebte Tor
Bis zu Saturnnus' Thron stieg ich empor;
Entwirrte manchen Knoten unterwegs…
Blieb nur der Schicksalsknoten nach wie vor.

این چرخ فلک که ما در او حیرانیم
فانوس خیال از او مثالی دانیم
خورشید چراغدان و عالم فانوس
ما چون صوریم کاندر او حیرانیم

ای دوست بیا تا غم فردا نخوریم
وین یکدم عمر را غنیمت شمریم
فردا که ازین دیر فنا درگذریم
با هفت هزار سالگان سربسریم

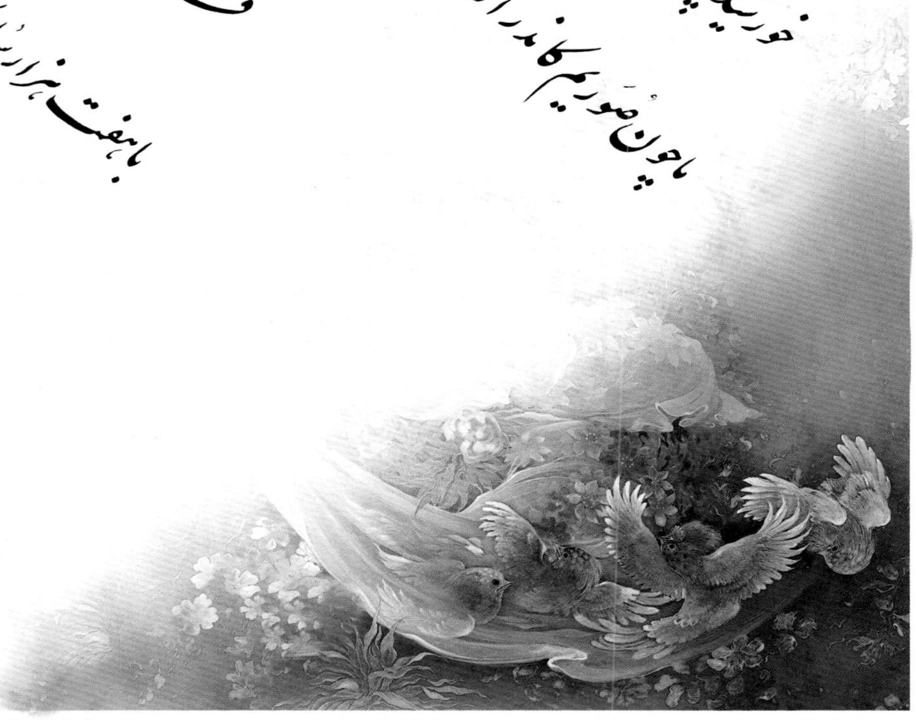

با سروقدی تازه‌تر از خرمن گل
از دست منه جام می و دامن گل

زان پیش که ناگه شود از باد اجل
پیراهن عمر ما چو پیراهن گل

از جرم گل سیاه تا اوج زحل
کردم همه مشکلات کلی را حل

بگشادم بندهای مشکل به حیل
هر بند گشاده شد مگر بند اجل

سرمست به میخانه گذر کردم دوش

And lately, by the Tavern Door agape,
Came stealing through the Dusk an Angel Shape
Bearing a Vessel on his Shoulder; and
He bid me taste of it; and 'was-the Grape!

Hier, au cabaret, je rencontrai, soudain,
Un vieux qui, sur son dos, portait un pot tout plein.
Je lui dis : "O vieillard, songe à Dieu, quelle honte !"
Il répondit : "Espère en dieu, va, bois du vin !"

Als gestern mich mein Fuss ins Weinhaus trug
Sah einen trunknen Greis ich, den ich frug:
„ Fürcht'st du dich nicht vor Gott?" Er aber sprach:
„ Gott ist ja genädig, trink! Du bist nicht klug."

ایام زمانه از کسی دارد ننگ

Khayyam, the world is ashamed of him
Who sets with a sad heart complaining of the times
Drink wine from out this crystal bowl and listen to the
plaint of harp
Before this bowl be stricken on a stone

Ce monde n'aime pas, ô Khayyam, les coeurs lourds
Qui se plaignent du temps par de tristes discours.
Bois donc, dans du cristal, aux doux sons de la harpe,
Avant qu'on ait brise le cristal de tes Jours.

* Für das Geschick und die Zeit ist abscheulich ein Mann,
Der Schwere der Zeit ist er immer gram.
Trink dein Glas Wein, bevor es am Stein zerschlägt,
Hör dir dabei die Melodie der Harfe ständig an.

خیام اگر زباده مستی خوش باش

And if the Wine you drink, The Lip you press,
End in the Nothing all Things end in-Yes-
Then fancy while Thou art, Thou art but what
Thou Shalt be-Nothing-Thou shalt not be less.

Khayyam, ayant l'ivresse et point d'ennuis-sois gai.
Près d'un' exquise idole étant assis,-sois gai.
Tout devant aboutir au néant dans ce monde,
Dis-toi que tu n'es plus ; puisque tu vis,-sois gai.

Khayyam, solang du trunken bist von Wein, sei glücklich –
Solang im Schosse dir ein Mägdelein, sei glücklich –
Und da der Dinge Ende ist das Nichts,
So bilde, dass du nichts bist, stets dir ein! Sei glücklich!

در کارگه کوزه گری رفتم دوش

And, strange to tell among that Earthen Lot
Some could articulate, while others not:
And suddenly one more impatient cried-
"Who is the Potter, Pray, and who the pot?"

J'étais dans l'atelier d'un potier, hier au soir.
Je vis deux mille pots-muets ou bien bavards.
« Où donc sont-ils passés, disait un pot criard,
Le potier, le marchand et l'acheteur de jarres ».

Bei einem Töpfer sah ich gestern zweitausend Krüge,
Die einen stumm, die anderen redend, als ob jeder früge:
Wer hat uns geformt und wo stammen wir her?
Wer ist der Käufer, und der Verkäufer, wer?

سرمست به میخانه گذر کردم دوش
پیری دیدم مست و سبویی بر دوش
گفتم ز خدا شرم نداری ای پیر
گفتا کرم از خداست رو باده بنوش

ایام زمانه از کسی دارد ننگ
کو در غم ایام نشیند دلتنگ
می خور تو در آبگینه با ناله چنگ
زان پیش که آبگینه آید بر سنگ

خیام اگر ز باده مستی خوش باش
با ماهرخی اگر نشستی خوش باش
چون عاقبت کار جهان نیستی است
انگار که نیستی چو هستی خوش باش

در کارگه کوزه‌گری رفتم دوش
دیدم دو هزار کوزه گویا و خموش
ناگاه یکی کوزه برآورد خروش
کو کوزه‌گر و کوزه‌خر و کوزه‌فروش

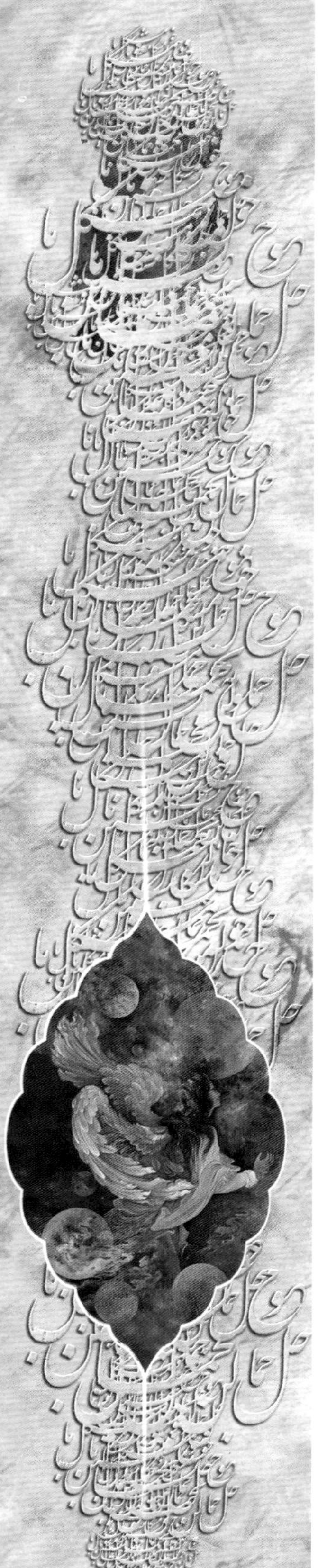

مرغی دیدم نشسته بر باره طوس

I saw a bird on the battement of Tus
Holding before it the skull of Keikawus
It said to the skull: " Woe to me!"
Where is the din of the bells and where is the sound of drum

Un oiseau est perché sur un rempart. Tout proche
Est un crâne de roi, auquel il dit : « Hélas,
Trois fois hélas, où est passé le son des cloches,
Où est la plainte des tambours de ce temps-là ? »

* Einen Vogel sah ich an der Umzäunung von Tuss[1]
Vor ihm lag den alten Schädel von Keykawuss[2]
Den Schädel sprach er an: ,, O weh, o Jammer
Wo ist für dich Glocke, wo ist an dich Gruss? "

1.Tuss: eine Stadt im Iran

2.Keykawuss: ein mythologischer iranischer König

جامی است که عقل آفرین می زندش

Then said another-"Surely not in vain
My substance from the common Earth was ta'en,
That He who subtly wrought me into Shape
Should stamp me back to common Earth again."

C'est une coupe d'art. La Raison tour à tour
L'admire et sur son front met cent baisers d'amour.
Mais le Temps, potier fou, prend cette coupe fine
Qu'il a faite, et s'amuse à la détruire un jour .

Und eins hub an - ,, Das glaubt ihr wohl nicht,
Dass einer Ton aus dieser Erde sticht
Und bildet so wie mich - dass das Gefäss
Zu Erde wieder werde, wenn es bricht.

یارب تو جمال آن مه مهر انگیز

Oh, Thou, who man of baser Earth didst make,
And who with Eden didst devise the Snake;
For all the Sin wherewith the Face of Man
Is blacken'd, Man's Forgiveness give-and take!

Ses ordres ont créé ces fascinants appas.
Et puis, Il vient nous dire : "Eloignez-en vos pas."
Il nous rend vraiment fous par ces ordres et défenses.
C'est comme s'il disait : "Penche et ne verse pas !"

O Gott DU schmückst das Antlitz dieses Liebchens
Mit Hyazinthenhaare, das Antlitz, das auch mit Ambra gefüllt ist.
Dann erteilst du den merkwürdigen, religiösen Befehl:
„ Schau sie nicht an! " Glaubst DU nicht, dass DIR
ein Irrtum unterlaufen ist.

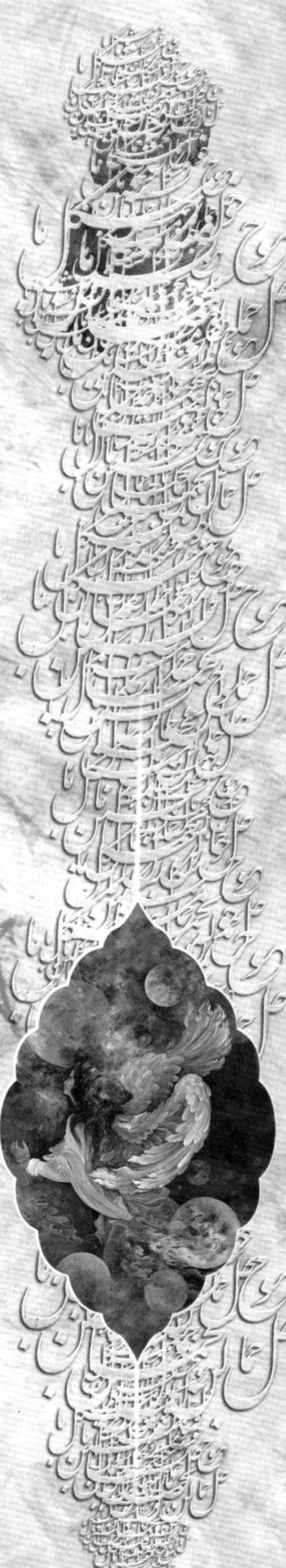

ما لعبتکانیم و فلک لعبت باز

But helpless pieces of the Game He plays
Upon this chequer-board of Nights and Days;
Hither and thither moves, and checks, and slays,
And one by one back in the closet lays.

Nous sommes des jouets entre les mains du Ciel
Qui nous déplace comme Il veut : c'est notre maître.
Au jeu d'échecs, nous sommes des pions éternels
Qui tombent un à un tout au fond du non-être.

Wir sind hier nichts als ein Spielzeug des Himmels und der Natur;
Dies ist als Wahrheit gemeint, nicht metaphorisch nur.
Wir gehn, wie die Steine im Brettspiel, durch vieler Spieler Hände,
Und werden beiseite geworden in's Nichts, wenn das Spiel zu Ende.

مرغی دیدم نشسته بر باره طوس
در پیش نهاده کله کیکاووس
با کله همی گفت که افسوس افسوس
کو بانگ جرس‌ها و کجا نالهٔ کوس

جامی است که عقل آفرین می‌زندش
صد بوسه ز مهر بر جبین می‌زندش
این کوزه‌گر دهر چنین جام لطیف
می‌سازد و باز بر زمین می‌زندش

یارب تو جمال آن مه مهرانگیز
آراسته‌ای به سنبل عنبر بیز
پس حکم همی کنی که در وی منگر
این حکم چنان بود که کج دار و مریز

ما لعبتکانیم و فلک لعبت باز
از روی حقیقتی نه از روی مجاز
یکچند درین بساط بازی کردیم
رفتیم به صندوق عدم یک یک باز

وقت سحر است خیز ای مایه ناز

And, as the Cock crew, those who stood before
The Tavern shouted-"Open then the Door.
You Know how little while we have to stay,
And, once departed, may return no more."

Lève-toi, voici l'aube, Ô toi qui nous rends fous ,
Pince la harpe et bois du vin, tout doux , tout doux.
Ceux qui dorment encor n'en seront point fâchés ;
Ceux qui s'en vont jamais ne reviendront vers nous.

* Es ist Morgendämmerung, stehe auf, o Mädchen fein,
Spiel Harfe leise, geniess langsam den Wein,
Denn keiner kam wieder von denen, die da lebten,
Und die, die leben, wurden da nicht mehr lange sein.

لب بر لب کوزه بردم از غایت آز

Then to this Earthen Bowl did I adjourn
My Lip the secret Well of Life to learn:
And Lip to Lip it murmur'd-"While you live,
Drink!-for once dead you never shall return!"

Quand j'embrasse la cruche, au comble du désir,
Je cherche à boire l'élixir de longue vie.
Sa bouche est sur la mienne, et je peux donc l'ouir :
"J'ai vécu comme toi, tenous-nous compagnie !"

Ich führ' den Krug zum Mund, er soll mich lehren,
Wie dieses Leben länger möchte währen,
Und meine Lippen küssend flüstert' er:
„ Trink Wein! Du wirst zur Welt nicht wiederkehren."

در دایره سپهر نا پیدا غور

While the Rose blows along the River Brink,
With old Khayyam the Ruby Vintage drink:
And when the Angel with his darker Draught
Draws up to Thee-take that, and do not shrink.

Dans l'immense univers à l'invisible pôle,
Bois gaîment : car chacun du mal verra la geôle.
Et quand viendra ton tour de souffrir, reste calme :
C'est un verre où chacun doit voire à tour de rôle

In jener Nacht, wo keine Sterne blinken,
Wo keines Auswegs Hoffnungsstrahlen winken,
Schrickt nicht zurück, wenn deine Reihe kommt!
Der Becher kreist, und jeder muss ihn trinken.

دی کوزه گری بدیدم اندر بازار

For in the Market-place, one Dusk of Day,
I watch'd the Potter thumping his wet Clay:
And with its all obliterated Tongue
It murmu'd- "Gently, Brother, gently, pray!"

Hier , au bazar, je vis un potier qui, fébrile,
De nombreux coups de pieds frappaient un tas d'argile
Et cette boue, alors, s'est mise à murmurer :
« Las ! J'étais comme toi, laisse-moi donc tranquille ! »

* Ein Töpfer sah ich Gestern, der als versähe
Finen Klumpen Ton mit Tritten, im Basar.
Der Ton sprach ihn flehend an,
Sei nicht mein Feind; wie du ich einst war.

لب بر لب کوزه بردم از غایت آز
تا زو طلبم واسطهٔ عمر دراز
لب بر لب من نهاد و میگفت به راز
می خور که بدین جهان نمی‌آیی باز

وقت سحر است خیز ای مایهٔ ناز
نرمک نرمک باده خور و چنگ نواز
کانها که بجایند نپایند بسی
وانها که شدند کس نمی‌آید باز

دی کوزه‌گری بدیدم اندر بازار
بر پاره گلی لگد همی زد بسیار
وان گل بزبان حال با او میگفت
من همچو تو بوده‌ام مرا نیکو دار

در دایره سپهر ناپیدا غور
جامی است که جمله را چشانند بدور
نوبت چو بدور تو رسد آه مکن
می نوش بخوشدلی که دور است بجور

این کاسه که بس نکوش پرداخته‌اند
بشکسته و در رهگذر انداخته‌اند

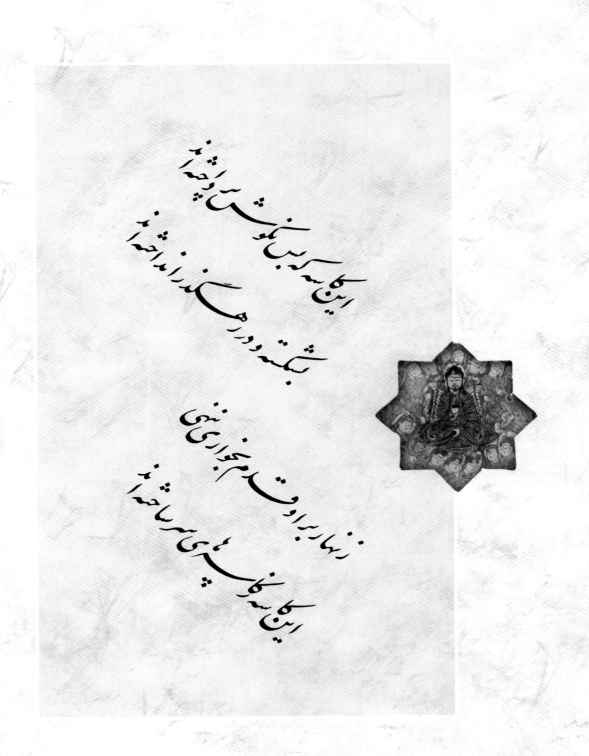

زنهار بر او قدم به خواری ننهی
این کاسه ز کاسه‌های سر ساخته‌اند

زان کوزهٔ می که نیست در وی ضرری
پر کن قدحی بخور بمن ده دگری

زان پیشتر ای صنم که در رهگذری
خاک من و تو کوزه کند کوزه‌گری

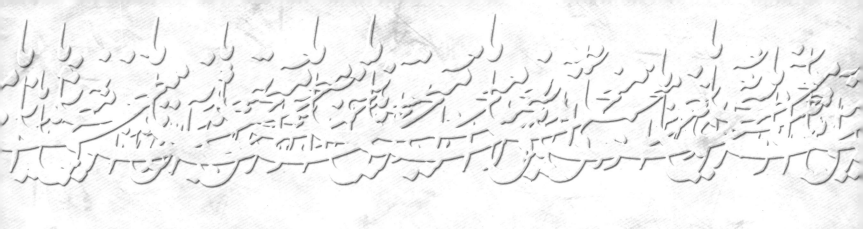

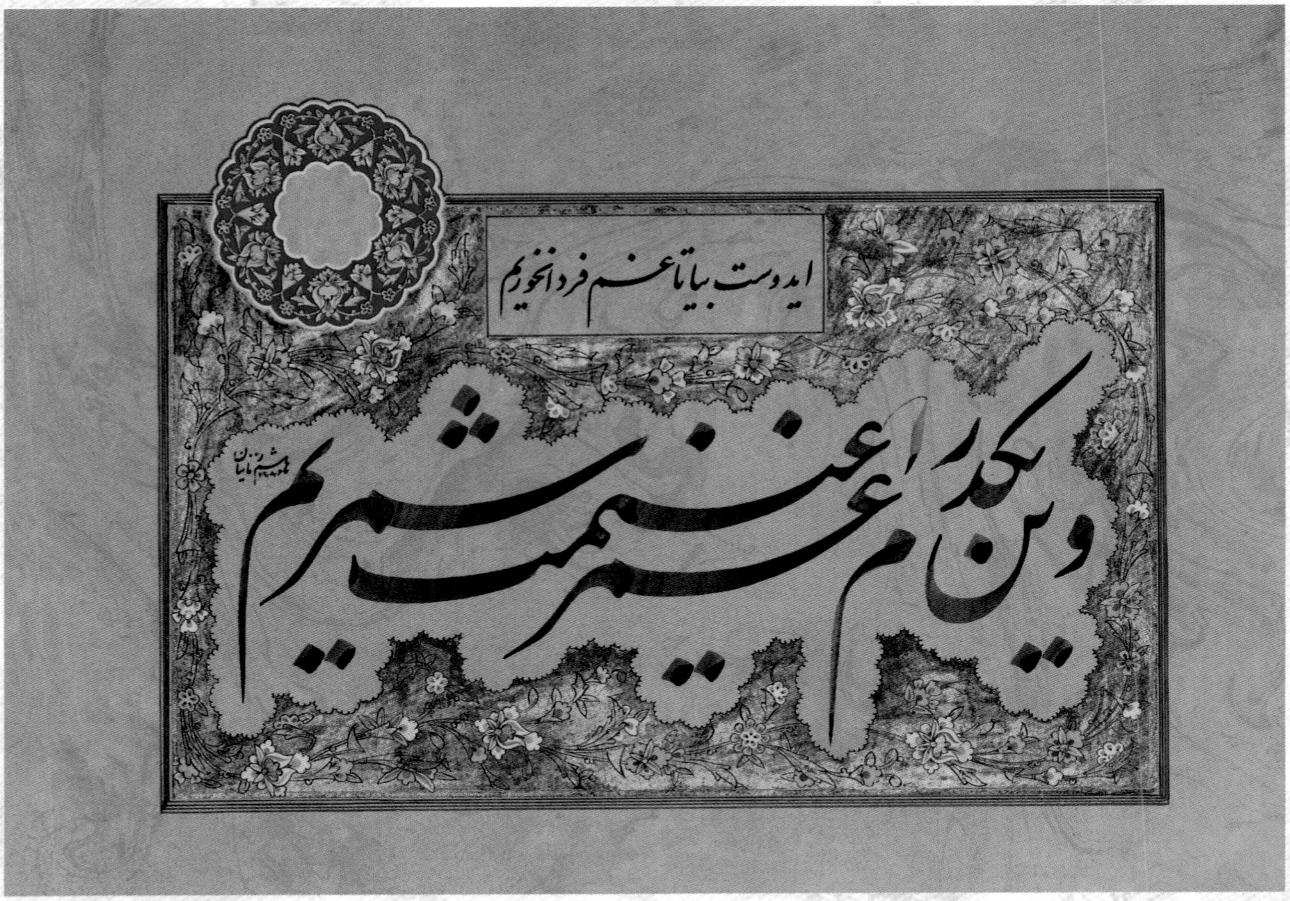
ای دوست بیا تا غم فردا نخوریم
وین یکدم را غنیمت شمریم

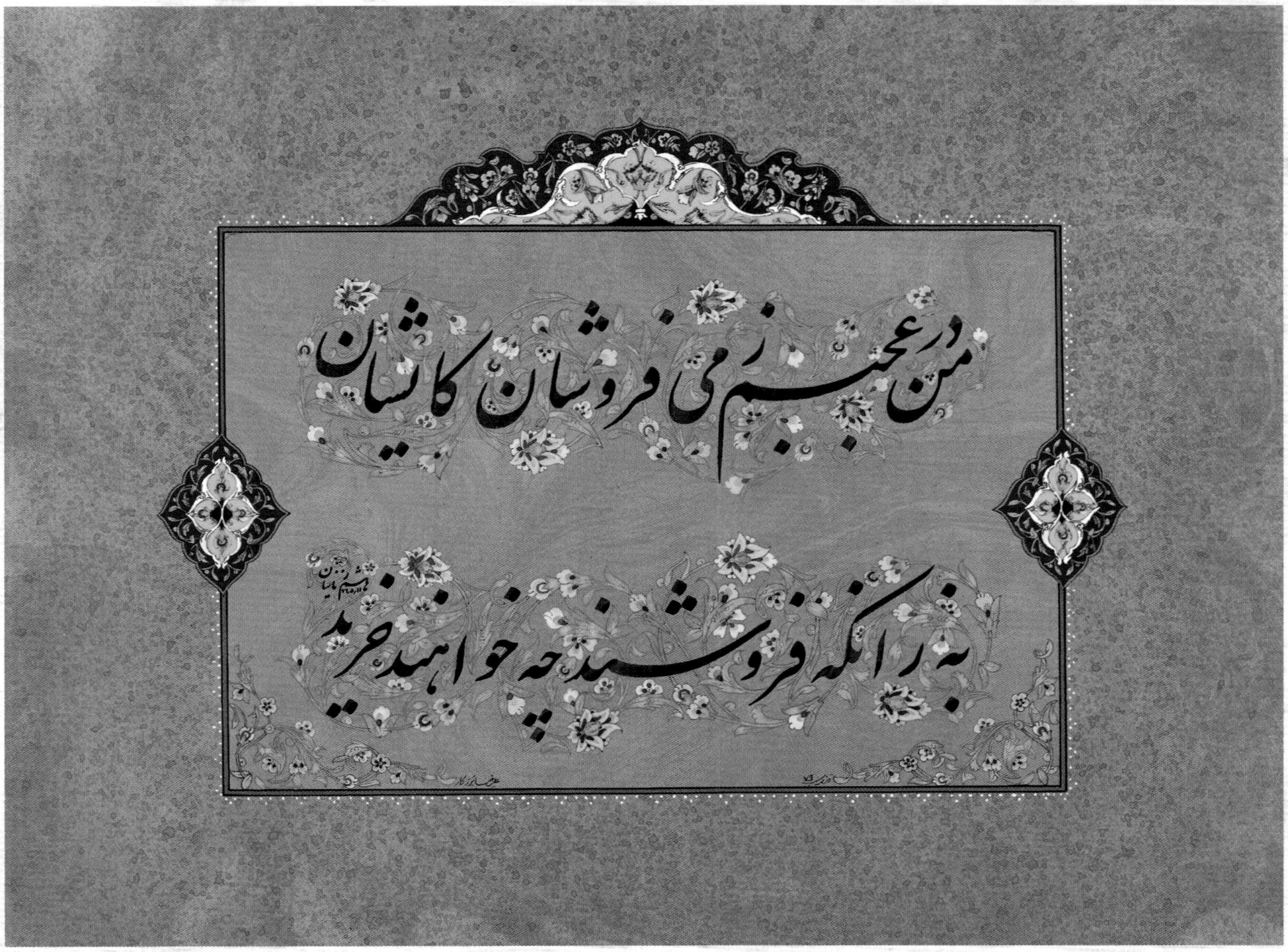
من در عجبم ز می فروشان کایشان
به ز آنکه فروشند چه خواهند خرید

این کوزه چو من عاشق زاری بوده است
حکیم عمر خیام
در بند سر زلف نگاری بوده است
این دسته که بر گردن او می‌بینی
دستی است که بر گردن یاری بوده است
در بند سر زلف نگاری بوده است

دریاب که عمر رفته را نتوان یافت

هر جا که قدم نهی تو بر روی زمین
آن مردمک چشم نگاری بوده است

گر کار فلک به عدل سنجیده بدی
احوال فلک جمله پسندیده بدی
ور عدل بدی به کارها در گردون
کی خاطر اهل فضل رنجیده بدی
می خور که فلک بهر هلاک من و تو
قصدی دارد به جان پاک من و تو
در سبزه نشین و می روشن میخور
کاین سبزه بسی دمد ز خاک من و تو

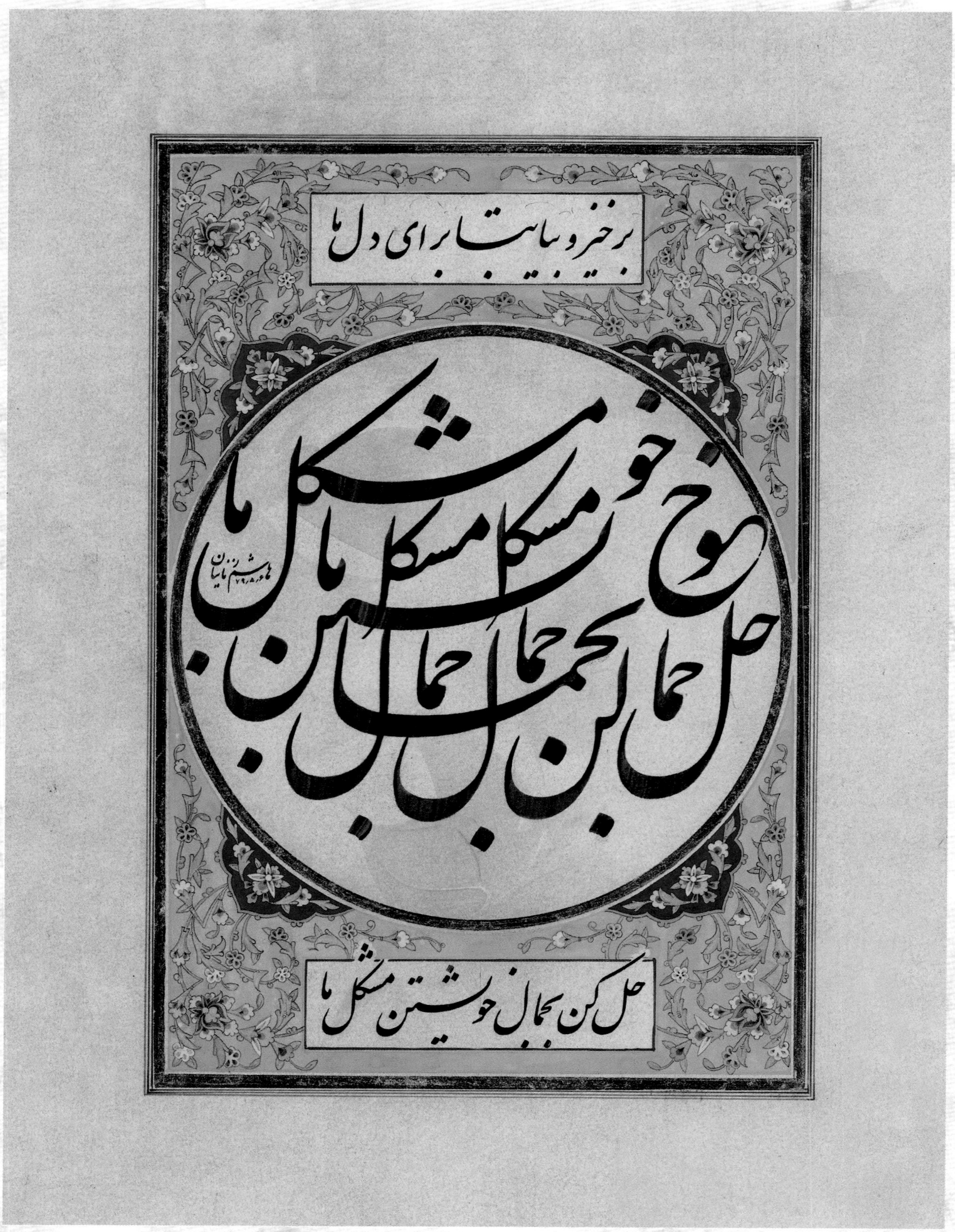
برخیز و بیا بیا برای دل ما
حل کن بجمال خویشتن مشکل ما

ساقی گل و سبزه بس طربناک شده است
دریاب که هفته دگر خاک شده است
می نوش و گلی بچین که تا درنگری
گل خاک شده است و سبزه خاشاک شده است

از آمدن بهار و از رفتن دی
اوراق وجود ما همی گردد طی
می خور مخور اندوه که فرمود حکیم
غمهای جهان چو زهر و تریاقش می

بنگر ز صبا دامن گل چاک شده
بلبل ز جمال گل طربناک شده
در سایه گل نشین که بسیار این گل
در خاک فرو ریزد و ما خاک شده

می خور که فلک بهر هلاک من و تو
قصدی دارد بجان پاک من و تو
در سبزه نشین و می روشن میخور
کاین سبزه بسی دمد ز خاک من و تو

آن روز که توسن فلک زین کردند
وآرایش مشتری و پروین کردند
این بود نصیب ما ز دیوان قضا
ما را چه گنه که قسمت ما این کردند

اجرام که ساکنان این ایوانند
اسباب تردد خردمندانند
هان تا سر رشتهٔ خرد گم نکنی
کانان که مدبرند سرگردانند

آن روز که توسن فلک زین کردند
و آرایش مشتری و پروین کردند
این بود نصیب ما ز دیوان قضا
ما را چه گنه قسمت ما این کردند

اجرام که ساکنان این ایوانند
اسباب تردد خردمندانند
هان تا سر رشته خرد گم نکنی
کانان که مدبرند سرگردانند

چون لاله به نوروز قدح گیر بدست
با لاله رخی اگر ترا فرصت هست
می نوش به خرمی که این چرخ کهن
ناگاه ترا چو خاک گرداند پست

می نوش که عمر جاودانی این است
خود حاصلت از دور جوانی این است
هنگام گل و باده و یاران سرمست
خوش باش دمی که زندگانی این است

ای کاش که جای آرمیدن بودی
یا این ره دور را رسیدن بودی
کاش از پی صد هزار سال از دل خاک
چون سبزه امید بر دمیدن بودی

گر شاخ بقا ز بیخ بختت رُسته است
ور بر تن تو عمر لباسی چست است
در خیمهٔ تن که سایبانی است ترا
هان تکیه مکن که چار میخش سست است

من بی می ناب زیستن نتوانم
بی باده کشید بار تن نتوانم
من بنده‌ی آن دمم که ساقی گوید
یک جام دگر بگیر و من نتوانم

یک جرعه می کهن ز ملکی نو به
وز هر چه نه می طریق بیرون شو به
در دست به از تخت فریدون صد بار
خشت سر خم ز ملک کیخسرو به

با باده نشین که ملک محمود این است

وز چنگ شنو که لحن داود این است

از آمده و رفته دگر یاد مکن

حالی خوش باش زانکه مقصود این است

تا چند حدیث پنج و چار ای ساقی

مشکل چه یکی چه صد هزار ای ساقی

خاکیم همه چنگ بساز ای ساقی

بادیم همه باده بیار ای ساقی

برخیز و بیا بتا برای دل ما
حل کن به جمال خویشتن مشکل ما
یک کوزه شراب تا بهم نوش کنیم
زان پیش که کوزه‌ها کنند از گل ما

گر یک نفست ز زندگانی گذرد
مگذار که جز به شادمانی گذرد
هشدار که سرمایهٔ سودای جهان
عمرست چنان کش گذرانی گذرد

ای دل همه اسباب جهان خواسته گیر

The Worldly Hope men set their Hearts upon
Turns Ashes-or it prospers, and anon,
Like Snow upon the Desert's dusty face
Lighting a little hour or Two-is gone.

O cœur, suppose donc posséder tour à tour
Toutes les fleurs de rêve au jardin de l'amour.
Sur ces fleurs, une nuit, pareil à la rosée,
Tu resteras sans doute et t'en iras le jour

Denk, all' dein Hoffen fände auch ein Ziel,
Der Freude Garten böte dir so viel,
Dass du in seinem Grün, dich selig dünkst-
Doch wenn der Morgen, graut, ist aus das Spiel!

ای دل غم این جهان فرسوده مخور

My friend, do not worry uselessly about this world
Do not worry needlessly about this worn-out world
As all that has been is passed, and all that will be is not
Be merry, do not worry about what has been and
what has not yet been.

* Pour ce monde vieille, ô cœur ne te soucies point !
Tu n'es pas futile, tes soucis seront donc vains
Le passé s'en va, l'avenir reste incertain…
La joie donc ! n'envie point le trop ni le moins.

* Leide nicht um die uralte Welt, mein Herz,
Er lebt sinnlos, wer sich zu sinnlosem gesellt, mein Herz.
Da das Vergangene und das Künftige nicht zu sehen sind,
Freu dich auf das Heute, vergiss ((Was ist – nicht ist))
in der Welt, mein Herz.

یاران موافق همه از دست شدند

Lo! Some we loved, loved, the loveliest and the best
That Time and Fate of all their Vintage Prest,
Have drunk their Cup a Round or two before,
And one by one crept silently to Rest.

Nos amis ont fini par disparaître tous,
Ayant de la Mort affronté le courroux.
Buvant du même vin au banquet de la vie.
Ils se sont enivrés quelques tours avant nous.

Ja, alle Freunde, die zu Sang und Wort
Vor uns versammelt sich am trauten Ort
Sowie, drei Runden tranken ihren Becher
Und gingen einer nach dem andern fort.

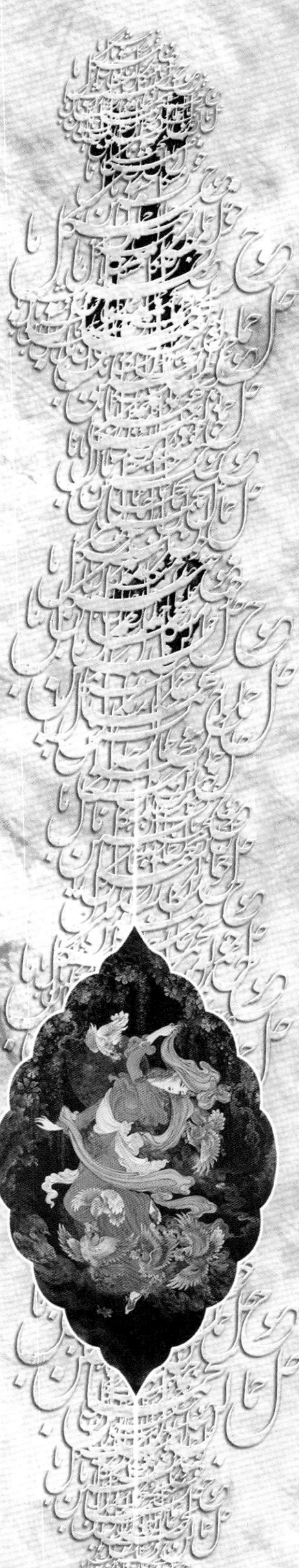

یک قطره آب بود با دریا شد

There was once a drop of water, it joined the sea
There was once a speck of dust, it regained the earth
What's the significance of your entrance and exit from
this world?
No more than the appearance and disappearance
of a housefly

** C'était une goutte d'eau. Elle disparut dans la mer.
La poussière aussi se perd en venant de l'air.
L'arrivée au monde et d'y partir ne sont autres,
Q'une mouche qui se fait voir, puis elle se perd.

* Ein Tropfen lief aufs Meer und verschwand
Ein Stäubchen fiel auf die Erde und verschwand
Welchen Sinn soll haben deine Geburt und dein Tod?
Ja, eine Fliege kam auf die Welt und verschwand.

ای دل همه اسباب جهان خواسته گیر
باغ طربت به سبزه آراسته گیر
وانگاه بر آن سبزه شبی چون شبنم
بنشسته و بامداد برخاسته گیر

ای دل غم این جهان فرسوده مخور
بیهوده نه‌ای غمان بیهوده مخور
چون بوده گذشت و نیست نابوده پدید
خوش باش غم بوده و نابوده مخور

یاران موافق همه از دست شدند
در پای اجل یکان یکان پست شدند
خوردیم ز یک شراب در مجلس عمر
دوری دو سه پیشتر ز ما مست شدند

یک قطره آب بود با دریا شد
یک ذره خاک با زمین یکتا شد
آمد شدن تو اندرین عالم چیست
آمد مگسی پدید و ناپیدا شد

هر صبح که روی لاله شبنم گیرد

Every morn that the face of the Tulip is adorned with dew
The violet of the meadow bends its head
In truth, I am pleased only with those buds
That draw their skirts about theme

Chaque jour, la rosée imprègne la tulipe
Et la violette cède sous les gouttes d'eau.
Mais je dois avouer que, pour moi, rien ne vaut
La rose et ses pétales chastes qui palpitent.

* Morgens, wo der Tau auf die Tulpe fällt,
Das Veilchen seinen Hals zum Boden hinhält.
Die fromme Knospe ist die, die mir tatsächlich gefällt.
Sie ist die, die den Schoss fest zusammenhält.

هرگز دل من ز علم محروم نشد

Never my heart never deprived of knowledge
Few secrets were not divulged
For seventy two years I pondered day and night
Only to know that I Know nothing

** De toutes les sciences mon âme fut-elle couverte .
Très peu d'énigme ne m'a pas été assez ouverte.
Soixante-douze années j'ai pensé nuit et jour...
Je trouve que la moindre des choses n'est encore découverte .

* Nie hab' ich etwas Wissenswertes vermissen,
Nie gab's etwas Gnosisches, das ich nicht tat wissen,
Zweiundsiebzig Jahre studierte ich mit heissem Bemühn.
Nun ist mir klar, dass nichts ist bewiesen.

می خور که ز دل کثرت و قلت ببرد

The Grape that can with Logic absolute
The Two-and-Seventy Jarring Sects confute:
The subtle Alchemist that in a Trice
Life's leaden Metal into Gold transmute.

Bois du vin : il soustrait le cœur à bien des peines,
Comme aux soixante-douze ordres, avec leurs haines
Allons, ne t'abstiens pas d'un élixir pareil
Dont tant soit peu guérit les maux par centaines.

Trink Wein, um deines Herzens Unruh zu bändigen.
Und den Streit der zwei und siebzig Secten zu endigen.
Enthalte dich nicht dieser Alchymie:
Mit einem Kruge tausend Gebrechen heilt sie.

آنروز که توسن فلک زین کردند

I tell Thee this-When, starting from the Coal,
Over the shoulders of the flaming Foal
Of Heav'n Parwin and Mushtari they flung,
In my predestin'd Plot of Dust and Soul.

Dès qu'au cheval des cieux Dieu permit le départ,
Après l'avoir sellé de tant d'astres épars,
Il fixa d'un seul coup toutes nos destinées,
Où donc est mon péché, si telle était ma part ?

Seit das Himmelsross läuft auf goldenen Pfaden,
Seit Jupiter leuchtet zusammt den Plejaden,
War unser Schicksal beschlossen im Himmelsrat,
Ist's unsere Schuld, wenn wir es machen zur Tat?

هر صبح که روی لاله شبنم گیرد
بالای بنفشه در چمن خم گیرد
انصاف مرا ز غنچه خوش می‌آید
کو دامن خویشتن فراهم گیرد

هرگز دل من ز علم محروم نشد
کم ماند ز اسرار که معلوم نشد
هفتاد و دو سال فکر کردم شب و روز
معلومم شد که هیچ معلوم نشد

می خور که ز دل کثرت و قلت ببرد
واندیشهٔ هفتاد و دو ملت ببرد
پرهیز مکن ز کیمیایی که از او
یک جرعه خوری هزار علت ببرد

آن روز که توسن فلک زین کردند
وآرایش مشتری و پروین کردند
این بود نصیب ما ز دیوان قضا
ما را چه گنه قسمت ما این کردند

زان پیش که بر سرت شبیخون آرند

And those who husbanded the Golden Grain
And those who flung it to the Winds like Rain,
Alike to no Such aureate Earth are turn'd
As, buried once, Men want dug up again.

Avant que le tourment de la nuit ne t'isole,
Dis-leur donc d'apporter du vin, ô mon idôle !
Pauvre enfant, tu n'es pas en or ; pour que les gens
S'en aillent t'enterrer, puis te tirer du sol.

Eh' du ein Opfer wirst der Pein des Lebens,
O Holde, trink den rosigen Wein des Lebens.
Der Thor nur glaubt, dass man wie Gold ihn nieder
In's Grab senkt und als Gold herauszieht wieder.

این کاسه که بس نکوش پرداخته اند

This bowl that once was so beautifully fashioned
Has been broken, and its fragments thrown upon the highway
Beware you tread not on it vantonly
For this bowl has been made from the bowls of human

Des hommes ont brisé et jeté sur le sol
Un bel objet qui sert à boire : un simple bol .
Ne l'écrase donc pas sous tes pieds, pas trop fort :
Il fut peut-être fait de poussière de morts.

Diese Schüssel, die einst so schön getöpfert war
Ist jetzt zerbrochen unter den Füssen
Zertrete diese Stücke nicht aus Versehen
Denn jene Schüssel aus Schädeln getöpfert war.

روزی است خوش و هوا نه گرم است و نه سرد

And David's Lips are lock't; but in divine
High piping Pehlevi, with "Wine! Wine! Wine!
Red Wine!" – the Nightingale cries to the Rose
That yellow Cheek of hers to incarnadine.

Il fait beau . Il ne fait ni chaud, ni froid. La moire
Des pétales de rose a bu la pluie au sol.
Et l'on entend crier la voix du rossignol,
Qui dit : « Vive le vin ! Tout le monde doit boire ! »

Heute ist der holde Tag nicht warm und kalt auch nicht,
Die Wolke wäscht der Welt ihr Blumenangesicht,
Ich höre die Nachtigall, wie sie zur Rose anspricht:
„ Blüh auf und lieb und trink, eh dich der Herbstwind anbricht."

تا زهره و مه در آسمان گشت پدید

Since the moon and Venus appeared on the Sky
No one has seen anything better than the pure wine
I wonder if the wine sellers can buy
Anything better than what the self

Du temps que la Lune et Venus brillent au firmament,
Mieux que le vin n'a-t-on vu à aucun moment !
De son commerce le marchand de vin me surprend.
Qu'achetere-t-il meilleur à ce qu'il nous vend ?

* Seit Mond und Venus ihre Bahnen gehen,
Hat man nichts besser als Wein gesehen.
Mich wundert's sehr, wenn einer Wein verkauft!
Was kann man Besseres dafür erstehen?

زان پیش که بر سرت شبیخون آرند
فرمای که تا باده گلگون آرند
تو زر نه‌ای غافل نادان که ترا
در خاک نهند و باز بیرون آرند

این کاسه که بس نکوش پرداخته‌اند
بشکسته و در رهگذر انداخته‌اند
زنهار بر او قدم به خواری ننهی
این کاسه ز کاسه‌های سر ساخته‌اند

روزیست خوش و هوا نه گرم است و نه سرد
ابر از رخ گلزار همی شوید گرد
بلبل بزبان پهلوی با گل زرد
فریاد همی کند که می باید خورد

تا زهره و مه در آسمان گشت پدید
بهتر ز می ناب کسی هیچ ندید
من در عجبم ز میفروشان کاینان
به زانکه فروشند چه خواهند خرید

تا چند اسیر رنگ و بو خواهی شد؟

How long will you remain the captive of colour and perfume?
And how long will you pursue each fair and ugly one?
Even if you were the fountain of Zamzam of the Water of Life
In the end you must disappear into the heart of the dust.

Tu es le prisonnier des couleurs, des parfums.
Tu poursuis tous les corps avec indifférence.
Pourtant, serais-tu la fontaine de jouvence,
Que tu retournerais à la terre, à la fin.

* Bis wann willst du gefesselt an Geld und Gut Stehn?
Wie oft nach jedem Bösen oder Guten sehn?
Wenn du selbst die Quelle des Lebens wärst
Endlich musst du in die Erde eingehn.

این قافله عمر عجب می گذرد

One Moment in Annihilation's Waste,
One Moment, of the Well of Life to taste-
The Stars are setting and the Caravan
Starts for the Dawn of Nothing-Oh, make haste!

Vois fuir la caravane étrange de nos jours.
Prends garde ! Ne perds pas ces doux moments si courts !
Echanson , laisse donc nos misères futures ;
Donne la coupe, allons ! La nuit passe ! Au secours !

Diese Lebenskarawane ist ein seltsamer Zug,
Drum hasche die flüchtige Freude im Elug!
Mach' dir im künftigen Gram keine Sorgen,
Fülle das Glas, bald naht wieder der Morgen!

ای بس که نباشیم و جهان خواهد بود

When you and I behind the Veil are past,
Oh, but the long, long while the World shall last,
Which of our coming and Departure heeds
As the Sea's self should head a pebble-cast.

Bien des gens, après nous, du Monde auront leur part.
Nul ne se souviendra de nous autres, plus tard.
Rien ne Manquait sur Terre, avant notre arrivée,
Tout restera tel quel après notre départ.

* So lange wie ewig sind wir nicht mehr, die Welt wird doch sein.
Mein Name und Merkmal wird vergessen und auch dein
Vor uns gab es die Welt, fehlte auch nichts bei ihr
Nach uns wird alles auch nicht anders sein.

افسوس که نامه جوانی طی شد

Alas, that Spring should vanish with the Rose!
That Youth's sweet-scented Manuscript should close!
The Nightingale that in the Branches sang,
Ah, whence, and whither flown again, who knows!

Le rouleau du jeune âge, hélas, est mis en pièces.
Le printemps de la vie a fait place à l'hiver.
Et cet oiseau joyeux qu'on nomme la jeunesse,
Je ne sais quand il vint, ne quand il a pris l'air.

Ach, des Lebens Mai naht dem Ziele, vorbei sind
die Freuden und Spiele!
Dieser Vogel der Fröhlichkeit genannt die Jugendzeit.
Schwang fort sein Gefieder, und kommt nicht wieder!
Ich weiss nicht, wann er gekommen, und wohin
seinen Weg er genommen.

تا چند اسیر رنگ و بو خواهی شد
چند از پی هر زشت و نکو خواهی شد
گر چشمهٔ زمزمی و گر آب حیات
آخر به دل خاک فرو خواهی شد

این قافلهٔ عمر عجب میگذرد
دریاب دمی که از طرب میگذرد
ساقی غم فردای حریفان چه خوری
پیش آر پیاله را که شب میگذرد

ای بس که نباشیم و جهان خواهد بود
نی نام ز ما و نی نشان خواهد بود
زین پیش نبودیم و نبد هیچ خلل
زین پس چو نباشیم همان خواهد بود

افسوس که نامهٔ جوانی طی شد
وآن تازه بهار زندگانی دی شد
آن مرغ طرب که نام او بود شباب
افسوس ندانم که کی آمد کی شد

آن کس که زمین و چرخ و افلاک نهاد

He who built the Earth, the World and the Spheres
Has set many a burn in our sorrow stricken heart
Many ruby lips and many musk-like tresses
Has he placed under the surface of the earth
and into the vessel of its dust

Celui qui a créé le ciel avec la terre
A brûlé de son sceau notre cœur solitaire.
Que de lèvres rubis, de visages charmants,
Il a laissé trop tôt se réduire en poussière !

* ER Schuf Weltkarussel, Erde und Firmament,
Auch viel Trübsal und alle Sorgen, die ER kennt.
Rubinrote Lippen wie duftende Locken,
Grub ER in der Erde Trommel: SEIN Sakrament.

آرند یکی و دیگری بربایند

One is brought forth and other whisked
To nobody secrets is given away
That is the only part of fate they are shown
It is our lifes being drunk away

** En mettant Un , on dérobe Un autre, sans stopper .
Ne nous parle-t-on pas de l'Enigme, que pour nous duper !
Ce qu'on dit n'est, que pour nous garder à limite…
L'Ordre c'est : la coupe de notre vie doit être coupée !

* Auf die Welt bringt den ersten , und den zweiten stehlt, wer?
Wer ist der, der dies Geheimnis aufhebt? Wer?
Uns vertraut von unserem Geschick nur an,
Dass es unser Leben ist, das vergeht. Wer?

آنها که کهن شدند و اینها که نوند

Those who have become obsolete and those
who are modern
Each one of them has walked a pace according
to his own desire
This possession of the world does not remain eternally
with one man
They go, and we go, and new ones come and go again.

Les vieillards, aussi bien que les jeunes garçons,
Mettent leurs pas dans les pas de leurs compagnons.
Aussi ce monde n'est éternel pour personne :
Eux sont partis déjà , voici que nous partons.

* Die, die uralt sind; jene, die kommen, einst alle gehen.
Und alle nur ihren Nutzen klar sahen und können sehen.
Die Toten gingen, wir gehen, wie die, die neu kamen
Die steinalte Welt bleibt den Menschen nicht bestehen.

آنانکه محیط فضل و آداب شدند

The Revelations of Devout and Learn'd
Who rose before us, and as Prophet burn'd
Are all but Stories, which, awoke from Sleep
They told their comrades and to sleep return'd

Ceux qui embrassent la vertu et le savoir,
Dont la lumière est un flambeau dans le brouillard,
N'ont pu guider nos pas pour franchir ces ténèbres :
Ils ont parlé et se sont endormis trop tard.

Die Edelsten, die je die Welt gelehrt,
Die man noch jetzt als leuchtend Licht verehrt,
Sie blieben in der Finsternis. Nur Märchen
Erzählten sie und sind dann heimgekehrt.

آنکس که زمین و چرخ و افلاک نهاد
بس داغ که او بر دل غمناک نهاد
بسیار لب چو لعل و زلفین چو مشک
در طبل زمین و حقهٔ خاک نهاد

آرند یکی و دیگری بربایند
بر هیچ کسی راز همی نگشایند
ما را ز قضا جز این قدر ننمایند
پیمانهٔ عمر ماست می‌پیمایند

آنها که کهن شدند و اینها که نوند
هر کس بمراد خویش یک تک بدوند
این کهنه جهان بکس نماند باقی
رفتند و رویم و دیگر آیند و روند

آنانکه محیط فضل و آداب شدند
در جمع کمال شمع اصحاب شدند
ره زین شب تاریک نبردند برون
گفتند فسانه‌ای و در خواب شدند

چون عمر به سر رسد چه بغداد و چه بلخ

Whether at Naishapur or Babylon,
Whether the Cup with sweet or bitter run,
The Wine of Life keeps oozing drop by drop,
The Leaves of Life keep falling one by one.

Tantôt douce et tantôt amère, c'est la vie.
Peu importe le lieu où notre verre est plein.
Partout la lune, là où nous buvons du vin,
Sera pleine, en croissant , évidente ou ravie.

Ob Naischbur, ob Babel deine Welt,
Ob süss, ob herb was dir der Becher hält-
Gleichviel: der Wein des Lebens tropft und tropft,
Das Laub des Lebensbaumes fällt und fällt.

هر سبزه که بر کنار جوئی رسته است

And this delightful Herb whose tender Green
Fledges the River's Lip on which we lean-
Ah, lean upon it Lightly! For who Knows
From what once lovely Lip it springs unseen.

Vois l'herbe dont le bord du ruisseau s'agrémente.
On dirait le duvet d'une lèvre charmante.
Ne pose pas tes pieds sur l'herbe avec dédain,
Par là le sol était un visage d'amante.

So schön, wie den schönsten Lippen entsprungen
Hält der blumige Rasen den Bach umschlugen.
Betritt nicht verächtlich dies zarte Grün,
Drin vergangene Schönheiten neu erblühn.

در هر دشتی که لاله زاری بوده است

I sometimes think that never blows so red
The Rose as where some buried Caesar bled;
That every Hyacinth the Garden Wears
Dropt in its Lap from some once lovely Head.

Chaque tuliperaie, ici-bas, autrefois,
Fut sans doute arrosée avec le sang des rois,
La feuille de violette, un jour, avant de naître,
Fut un grain de beauté sur un divin minois.

Wo aus der Erde Tulpen rot entsprossen,
Ist sicher eines Königs Blut geflossen
Und wo ein Veilchen aus der Erde blickt,
Hat einst ein holdes Auge sich geschlossen.

هر ذره که در خاک زمینی بوده است

Each atom laying in The Dust of the earth
Once being the crown of a bezel
Clean the dust of her face with care
For that was also the face of a lovely one

Tout brin de Poussière venant d'une Clairière,
Fut-elle Certes d'une Couronne la Précieuse Pièrre.
Enlève tout doucement la Poudre qui est sur la « peine »
Fut-elle aussi une belle reine devenue Poussiére.

* Die Stäubchen, die auf der Erde sehen wir
Waren Kronen, Ringe vor mir und dir.
Wisch zart den Staub an der Holden Wange,
Denn er war auch eine Holde vor dir und mir.

چون عمر بسر رسد چه شیرین و چه تلخ
پیمانه که پر شود چه بغداد و چه بلخ
می نوش که بعد از من و تو ماه بسی
از سلخ به غره آید از غره به سلخ

هر سبزه که بر کنار جویی رسته است
گویی ز لب فرشته خویی رسته است
پا بر سر سبزه تا بخواری ننهی
کان سبزه ز خاک لاله رویی رسته است

در هر دشتی که لاله‌زاری بوده‌است
از سرخی خون شهریاری بوده‌است
هر شاخ بنفشه کز زمین میروید
خالی است که بر رخ نگاری بوده

هر ذره که در خاک زمینی بوده‌است
پیش از من و تو تاج و نگینی بوده‌است
گرد از رخ نازنین به آزرم فشان
کان هم رخ خوب نازنینی بوده‌است

می لعل مذاب است و صراحی کان است

Wine is a pure ruby and the flask is the mine
The goblet is the body and the wine is soul
Yonder crystal flask that laughs with the wine
Is a tear in which a heart's blood is hidden

Dans la coupe, le vin est du rubis fondu.
Le flacon est le corps et son liquide est l'âme .
Le rire du cristal, dans le vin répandu,
Cache son cœur brisé : voyez couler ses larmes.

Die Grube ist die Karaffe, flüssiger Rubin ihr Wein;
Becher ist Leib, dessen Seele Wein mag sein.
Herzensblut fliesst aus dem Pokal, in dem
So glänzend aussieht das Lachen vom Wein.

نیکی و بدی که در نهاد بشر است

And that inverted Bowl we call The Sky,
Whereunder crawling coop't we live and die,
Lift not thy hands to It for help-for It
Rolls impotently on as Thou or I.

Ni les actes-mauvais ou bons-du genre humain,
Ni le bien, ne le mal que nous fait le Destin,
Ne nous viennent du Ciel, car le Ciel est lui-même
Plus impuissant que nous à trouver son chemin.

Glaubt nicht, das alles vom Himmel bestimmt, was Gutes
und Böses im Menschen glimmt,
Was das Herz betrübt und das Herz erhellt, je nachdem es
dem launischen Schicksal gefällt
Das Himmelsrad kreist ohne Ruh, und ist weit schlimmer daran als du
Im Wirrsal und Getriebe auf der Bahn der ewigen Liebe.

در خواب بدم مرا خردمندی گفت

Another Voice, when I am sleeping cries,
"the flower should open with the Morning skies."
And a retreating Whisper, as I wake-
"The Flower that once has blown for ever dies!"

Le vieux sage m'a dit en songe : "Il faut jouir !
Pour qui dort, le bonheur ne peut s' épanouir.
Foin de cet acte avec la mort formant la paire !
Bois du vin ! Sous la terre, un jour tu dois dormir."

* Ich war im Schlaf, als mich ein Weiser ansprach,
Dessen klugen Spruch meinen Schlaf ja brach:
„ Im Grab hast du reichlich Stille und Schlaf
Trink nun Wein! Auf der Wiese, an dem Bach."

مهتاب به نور دامن شب بشکافت

Ah, Moon of my Delight who know'st no wane,
The Moon of Heav'n is rising once again:
How oft hereafter rising shall she look
Through this same Garden after me-in vain!

La nuit a dans sa robe un trou de lune.
Bois du vin : On n'a pas toujours cette fortune.
Sois heureux et jouis : après nous, bien des fois,
La lune éclairera nos tombes une à une.

Plötzlich gießt der Mond in der finsteren Nacht über
die Welt sein Licht.
Jetzt ist die richtige Zeit ! Trink in diesem Mondlicht!
Sei doch froh! Dieses Licht wird noch dauern,
Bis alle zu Staub werden, da gießt der Mond über Staub
jedes einzelnen sein Licht!

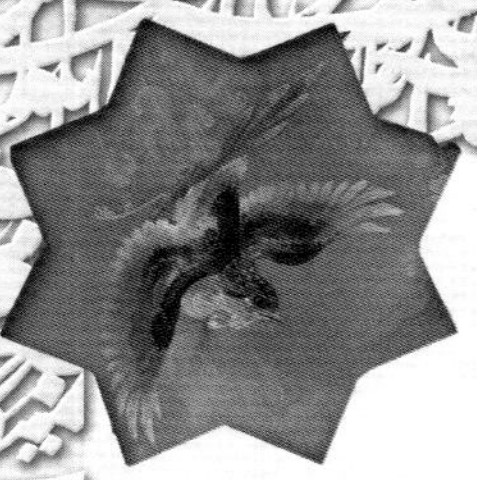

می لعل مذاب است و صراحی کان است
جسم است پیاله و شرابش جان است
آن جام بلورین که ز می خندان است
اشکی است که خون دل در او پنهان است

نیکی و بدی که در نهاد بشر است
شادی و غمی که در قضا و قدر است
با چرخ مکن حواله کاندر ره عقل
چرخ از تو هزار بار بیچاره‌تر است

در خواب بُدم مرا خردمندی گفت
کز خواب کسی را گل شادی نشکفت
کاری چه کنی که با اجل باشد جفت
می خور که بزیر خاک می باید خفت

مهتاب به نور دامن شب بشکافت
می نوش دمی بهتر از این نتوان یافت
خوش باش و میندیش که مهتاب بسی
اندر سر خاک یک به یک خواهد تافت

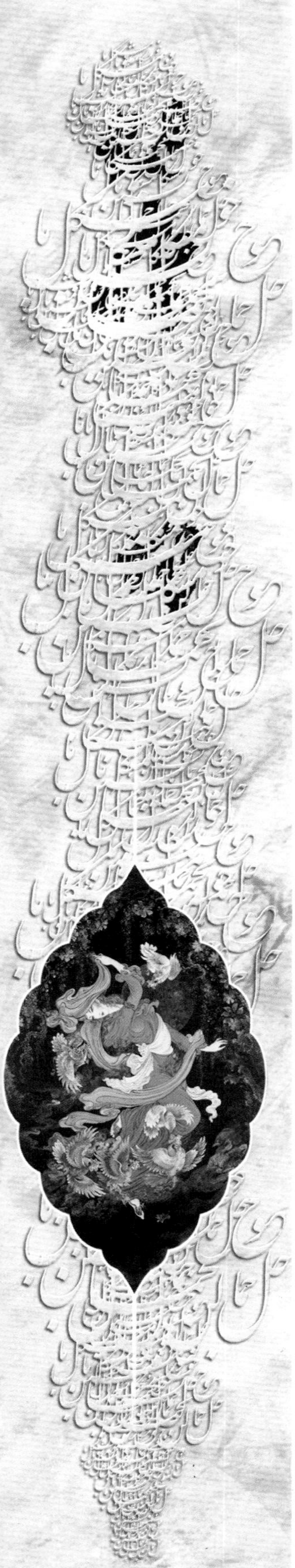

خاکی که به زیر پای هر نادانی است

The dust that is now under the foot of every fool
Has once been hand of an adored one and
the face of a beloved
Every brick that forms the battlement of a castle
Has been the finger of a Vizier or the head of a Sultain

** La poussière dont un quelconque foule sous ses pas,
Est la paume d'une beauté ou d'un visage délicat.
Les briques qui ont fait les remparts d'un château,
Furent les doigts d'un vizir ou la tête d'un roi..

Den Staub unter den Füssen sieht der Unkluge:
- Der Geliebten Antlitz, deren Zeit verging wie im Fluge -
Alle Ziegel auf der Zinne eines Schlosses sind
Des Königes Haupt, des Wesirs Finger, sonst ist alles Lüge.

چون لاله به نوروز قدح گیر به دست

As then the Tulip for her wonted sup
Of Heavenly vintage lifts her chalice up,
Do you turn offering of the soil, till Heav'n
To Earth invert you-like an empty Cup.

Imite la tulipe et prends la coupe en main,
Et tout près d'une fille aux lèvres de carmin,
Bois gaîment : le Ciel bleu , tournant comme une roue,
Va, dans un coup de vent, te renverser soudain .

* Wie die Tulpe nimm den Weinbecher in die Hand zu Norous[1]
Mit der Geliebten, auf deren Tulpengesicht hat Gruss und Kuss.
Trinke erfreut dieses alte Karussel
Plötzlich niedrig macht dich wie Erde unter dem Fuss.

1.Norous: der erste Tag des Frühlings; das wichtigste Nationalfest Irans.

چون بلبل مست راه در بستان یافت

Iram indeed is gone with all its Rose,
And Jamshyd's Sev'n-ring'd Cup where no one knows;
But still the Vine her ancient Ruby yields,
And still a Garden by the Water blows.

Ivre, se fraya une sente le rossignol dans le jardin…
Mais, voyant la rose et la coupe souriantes
Il vint chuchoter à mon oreille, dans son propre langage
Ré jouis- toi donc! La vie passe sans retour.

Eine Nachtigall, die trunken zu dem Garten flog,
Wo ein Rossenkelch über den anderen sich bog.
Raunte ins Ohr mir: Erfasse das Glück
Des Lebens im Fluge, es kommt nicht zurück.

چون ابر به نوروز رخ لاله بشست

Since the cloud has washed the face of the tulip
for the New year's day
Arise and pour wine into the goblet speedily
For this verdure which is today the object of your admiration
Will tomorrow spring from your dust.

Le printemps a lavé la tulipe et sa joue.
Lève-toi, tends la main vers la coupe de vin.
Car l'herbe d'aujourd'hui, sur laquelle tu joues,
Poussera sur tes os et ta cendre, demain.

* Die Neujahrwolke hat die Tulpenblätter genässt
Wach auf, und entscheide dich für den Wein fest.
Denn du hast auf das Grün nun Anblick
Das aus deinem Grab eines Tages wächst.

خاکی که به زیر پای هر نادانی است
کف صنمی و چهره جانانی است
هر خشت که بر کنگره ایوانی است
انگشت وزیر یا سر سلطانی است

چون لاله به نوروز قدح گیر به دست
با لاله رخی اگر ترا فرصت هست
می نوش به خرمی که این چرخ کهن
ناگاه ترا چو خاک گرداند پست

چون بلبل مست راه در بستان یافت
روی گل و جام باده را خندان یافت
آمد به زبان حال در گوشم گفت
دریاب که عمر رفته را نتوان یافت

چون ابر به نوروز رخ لاله بشست
برخیز و به جام باده کن عزم درست
کاین سبزه که امروز تماشاگه ماست
فردا همه از خاک تو برخواهد رست

ترکیب پیاله ای که در هم پیوست

Another said "Why, ne'er a peevish Boy,
Would break the Bowl from which he drank in Joy;
Shall he that made the vessel in pure Love,
And Fancy, in an after Rage destroy!"

Ce gobelet est fait de fragments mis ensemble :
Quel ivrogne oserait le réduire en morceaux ?
Et quel soin amoureux de la beauté des membres
Serait assez haineux pour les mettre en morceaux

Wer schuf in Liebesglut das Meisterstück,
Der Augen, Arme, heisser Busen Glück?
Und wessen Hand führt dann in wildem Hasse
Die eigne Schöpfung in das Nichts zurück?

پیش از من و تو لیل و نهاری بوده است

Before you and me there have been nights and days
And the revolving sphere has also been active
Be ware, tread gently on the dust
For it may have been the pupil of the eye of a beloved

Que de jours et de nuits ont passé avant nous,
Et que de fois le ciel a roulé sur lui-même !
A la poussière ici que notre pas soit doux :
N'écrase pas les yeux de celui que tu aimes !

Vor uns gab es Nacht, und es tagte
Und das um sich drehende Weltkarussel manches wagte.
Wo du auf der Erde immer im Schritt muss
Zertrittst du einer Schönen Puppile, woran die Erde nagte.

ساقی گل و سبزه بس طربناک شده است

Saki, The roses and foliage have become most pleasing
Make use of them. For a week's Time They will be dust
Drink wine and pick the rose for as thou art looking on.
The rose will have become dust and the
verdure will have become dust

Les roses et le pré réjouissent la terre.
Profite de l'instant : le temps n'est que poussière.
Bois du vin et cueille des roses, échanson,
Car déjà, sous tes yeux, roses et pré s'altèrent .

O Schenke, Blumen sind heiter; da trink' ich Wein
Nächste Woche werden Sie zu Staub geworden sein.
Trink und pflück Blumen, denn unversehens
Werden Blüte und Blatt zu Laub geworden sein.

با باده نشین که ملک محمود این است

The mighty Mahmud, the victorious lord,
That all the Misbelieving and black Horde
Of Fears and Sorrows that infest the soul
Scatters and slays with his enchanted Sword

Viens ; prends la coupe et laisse à Mahmoud son empire.
Les beaux chants de David, entends-les sur ma lyre.
Hier n'est plus demain n'est pas là vie joyeux.
Maintenant, car le car le but de la vie est le rire.

Der einem Mahmud gleichend gottdruchglüht
Die dunkle Heidenschar, die dein Gemüt
Umlagert - Furcht und Gram und Bitternis
Schlägt, dass sie jäh in alle Winde flieht.

ترکیب پیاله‌ای که درهم پیوست
بشکستن آن روا نمی‌دارد مست
چندین سر و پای نازنین از سر و دست
از مهر که پیوست و به کین که شکست

پیش از من و تو لیل و نهاری بوده است
گردنده فلک نیز به کاری بوده است
هر جا که قدم نهی تو بر روی زمین
آن مردمک چشم نگاری بوده است

ساقی گل و سبزه بس طربناک شده است
دریاب که هفته دگر خاک شده است
می نوش و گلی بچین که تا درنگری
گل خاک شده است و سبزه خاشاک شده است

با باده نشین که ملک محمود این است
وز چنگ شنو که لحن داود این است
از آمده و رفته دگر یاد مکن
حالی خوش باش زانکه مقصود این است

بر چهره گل نسیم نوروز خوش است

To the face of the rose the New year's breeze is pleasant
On the background of the meadow a beautiful face is pleasant
Of bygone yesterday nothing you may say is pleasant
Be merry Speak not of yesterday: Today is pleasant!

Sur la fleur du printemps que la rosée est douce
Ami, au bord du pré, comme ta joue est douce !
Rien n'est doux, quoi qu'on puisse en dire, de l'hiver :
N'en parle pas, mais sois heureux-la nuit est douce.

* Sehenswürdig ist die Blume: Der Wind über sie weht,
Schön ist die Geliebte: Über Wiesen sie geht
Ich lasse das Gestern nur vom Kalenderblatt gestrichen
Verschweig das Gestern, sonst auch das Heute rasch vergeht.

این یک دو سه روز نوبت عمر گذشت

Into this Universe, and why not knowing,
Nor whence, like Water willy-nilly flowing;
And out of it, as Wind along the Waste,
I know not whither, willy-nilly blowing.

Ils sont passés les jours d'une existence vaine,
Comme l'eau du ruisseau, comme un vent sur la plaine,
Un jour est déjà loin, l'autre n'est pas encor,
Pour ce double néant pourquoi me mettre en peine ?

* Diese einigen Tage, was Leben heisst, so rasch vergeht
Wie Wasser im Bach fliesst, wie Wind übers Feld weht.
Ich liess nur vom Kalenderblatt gestrichen
Den Tag, der noch nicht kam, und den, der bevorsteht.

این کوزه که آبخواره مزدوری است

This pot which is a hireling water-drinker
Is made of a king's eyes and a ministers heart
Each winepot in the hands of a drunkard
Is made of the face of a drunk and the lips of a sweet heart

** Cette cruche dont se sert à y boir de l'eau un valet,
Faite de l'œil d'un roi et du cœur d'un grand des palais.
La coupe qui tient dans la main un ivrogne ,
Fut la face d'une bacchante et les lèvres d'une voilée.

* Dieser Lehmkrug, aus dem nun ein Söldling trinkt
Aus Königs Auge, aus Wesirs Herz getöpfert ist.
Jeder Kelch Wein in des Trunkenen Hand
Des Trunkenen Backe, oder der Holden Lippen ist.

این کهنه رباط را که عالم نامست

Think, in this batter'd Caravanserai
Whose Doorways are alternate Night and Day,
How Sulta'n after Sulta'n with his Pomp
Abode his Hour or two, and went his way.

Au caravansérail que l'on nomme « le Monde »
Le vieux cheval reste attaché, matin et soir .
Là, cent rois ont quitté la fête qui retombe
Et plus de cent Bahram reposent dans leur tombe .

Dies alte Karawanserai, genannt die Welt,
Bald nächtig dunkel, bald vom Tag erhellt,
Ist nur ein Rest von alten Herrlichkeiten,
Ein Grab von Königen, hochgerühmt vor Zeiten.

بر چهره گل نسیم نوروز خوش است
در صحن چمن روی دل‌افروز خوش است
از دی که گذشت هر چه گویی خوش نیست
خوش باش و ز دی مگو که امروز خوش است

این یک دو سه روز نوبت عمر گذشت
چون آب به جویبار و چون باد به دشت
هرگز غم دو روز مرا یاد نگشت
روزی که نیامده است و روزی که گذشت

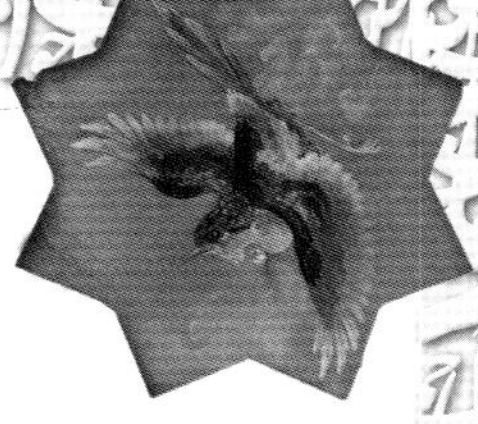

این کوزه که آبخوارهٔ مزدوری است
از دیدهٔ شاهی است و دل دستوری است
هر کاسهٔ می که بر کف مخموری است
از عارض مستی و لب مستوری است

این کهنه رباط را که عالم نام است
آرامگه ابلق صبح و شام است
بزمیست که وامانده صد جمشید است
قصریست که تکیه‌گاه صد بهرام است

این بحر وجود آمده بیرون ز نهفت

The Sea of Being has emerged from hidden depths
But how, that's a pearl of scholarship no one has pierced
Each scholar has conjecture idly on the Subject
But none can describe how the matter actually rests

** Cette mer de création, d'où vient-elle sortir ?
Nul n'ose perforer cette perle, ni la sertir !
Chacun a raconté quelque futile fantaisie…
Mais la vérité reste encore à découvrir.

* Aus tiefem Verborgenheit kam der Daseinsozean zum Sein
Nie durchbohrte einer dieser Forschung Edelstein
Alle äusserten sich aus Unwissenheit
Aber was das ist, fällt nie einem ein.

این کوزه چو من عاشق زاری بوده است

I think the vessel, that with fugitive
Articulation answer'd, once did live,
And merry-make; and the cold Lip I kiss'd
How many Kisses might it take-and give!

Comme moi, cette cruche un jour fut un amant ,
Esclave des cheveux de quelque être charmant.
Et l'anse que tu vois à son col attachée
Fut un bras qui serrait un beau cou tendrement.

Dieser Krug ist, wie ich, unglücklich lebendig gewesen,
In schönen Augen und Locken verliebt unverständig gewesen.
Dieser Henkel am Halse des Kruges war einst ein Arm
Der in Umhalsung der Schönen unhändig gewesen.

ای چرخ فلک خرابی از کینه تست

Oh wheel of the Spheres, destruction comes of the spite
Justice has ever since been thy profession
And thou, oh Earth, if they were to Cleave thy bosom
Many a precious jewel would they find within

** Ô Roue-Tournante ! Tu réjouis en tout ruinant !
L'injustice reste ton habitude, ton instrument !
Ô Terre ! Si l'on t'ouvre le cœur dégorgé de la haine,
Que de valeures trouverait-on en te fouillant !

* O Karussel, du zerstörst nur aus Rache
Tyrannei ist deine unbestreitbare Sache.
O Erde, wertvolle Juwelen werden entdeckt
Wenn man Löcher in deinen Körper mache.

ای دل چو زمانه می کند غمناکت

O heart since the times bring you woe
Your soul suddenly leaves your body
Sit on the grass and happily live a few days
Before the grass spring upon your clays

** Ô mon cœur, les jours ne t'apportent que des peines qui durent.
La soudaine mort te dérobe une âme sincère et pure.
Garde les plaisirs dans la verdure, ces quelques jours.
Avant qu' elle ne repousse de ta terre la même verdure.

O mein Herz! Wenn das Schicksal dich schädigt auf jede Weise,
Weiss doch, ganz plötzlich deine Seele aus deinem Körper flieht
in gewisser Weise,
Setz dich heute auf die grüne Wiese und verbring dein Leben
fröhlich auf diese Weise,
Bevor du stirbst und diese Wiese auf deinem Grabe wächst
auf jede Weise!

این بحر وجود آمده بیرون ز نهفت
کس نیست که این گوهر تحقیق بسفت
هر کس سخنی از سر سودا گفتند
زان روی که هست کس نمی‌داند گفت

این کوزه چو من عاشق زاری بوده است
در بند سر زلف نگاری بوده است
این دسته که بر گردن او می‌بینی
دستی است که بر گردن یاری بوده است

ای چرخ فلک خرابی از کینه تست
بیدادگری شیوه دیرینه تست
ای خاک اگر سینه تو بشکافند
بس گوهر قیمتی که در سینه تست

ای دل چو زمانه می‌کند غمناکت
ناگه برود ز تن روان پاکت
بر سبزه نشین و خوش بزی روزی چند
زان پیش که سبزه بردمد از خاکت

ابر آمد و باز بر سر سبزه گریست

And we, that now make merry in the Room
They left, and Summer dresses in new Bloom,
Ourselves must we beneath the Couch of Earth
Descend, ourselves to make a Couch for whom?

Vois ! de nouveau sur l'herbe un nuage est en pleurs.
Pour vivre il faut du vin aux charmantes couleurs.
C'est nous qui contemplons aujourd'hui ces verdures ;
Ah ! qui contemplera sur nos tombes les fleurs ?

Und wir, die nun das Fest im Raum begehn,
Wo Blüten leuchten, die sie nicht mehr sehn:
Müssen ja selbst unter der Erde Pfühl
Hinab um selbst ein Pfühl zu sein – für wen?

امروز ترا دسترس فردا نیست

Today you have no hold on Tomorrow
And the thought of Tomorrow is naught but sadness
Waste not this breath if your heart be no mad
For you know not the price of the rest of your life

Aujourd'hui, sur demain tu ne peux avoir prise.
Penser au lendemain, c'est être d'humeur grise.
Ne perds pas cet instant, si ton cœur n'est pas noir,
Car nul ne sait comment nos demains se déguisent.

* Was du für morgen planst, ist nur Traum.
Kannst du nun morgen erreichen? Nein, oder kaum.
Lass diesen Augenblick nicht verderben,
Den Wert des restlichen Lebens kennst du kaum.

هر چند که رنگ و بوی زیباست مرا

However beautiful my colour and my shape
Like a Tulip my face and like a Cypress my form
I have not understood for what purpose the painter
of the Beginning
Has adorned me thus for this pleasure house of dust

Quoique je suis fait un être beau et parfait,
Avec le teint de la tulipe et la taille du cyprès,
J'ignore pour quelle raison le peintre originel ...
Dans cett foire des plaisirs avec soin m'a-t-il fait ?

* Obgleich ein schönes Antlitz ich hab
Tulpengesicht – Tannenwuchs auch – ich hab,
Weiss ich nicht, warum Gott – der Maler –
Für dieses Gemälde – mein Bild – sich Mühe gab.

آن قصر که جمشید در او جام گرفت

They say the Lion and the Lizard keep
The Courts where Jamshyd gloried and drank deep;
And Bahram, that great Hunter-the Wild Ass
Stamps o'er his Head, and he lies fast asleep.

Au palais où régnait Bahram, le grand monarque,
Le Lion se prélasse et la gazelle parque.
Bahram prenait l'onagre au moyen d'un lacet ;
Vois donc comme il fut pris lui-même par la Parque.

Wüst liegt der Palast, wo einst Behram[1] geprasst.
Jetzt scheucht von der Stelle, der Leu die Gazelle
Wo der König im Jagen, wilde Psel erschlagen,
Versank er im Sumpfe beim Eselstriumphe.

1. Behram: ein iranischer König.

ابر آمد و باز بر سر سبزه گریست
بی باده ارغوان نمی‌باید زیست
این سبزه که امروز تماشاگه ماست
تا سبزه خاک ما تماشاگه کیست

امروز تو را دسترس فردا نیست
و اندیشه فردات بجز سودا نیست
ضایع مکن این دم ار دلت شیدا نیست
کاین باقی عمر را بها پیدا نیست

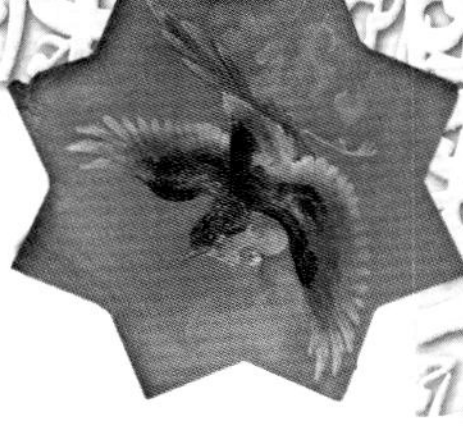

هر چند که رنگ و بوی زیباست مرا
چون لاله رخ و چو سرو بالاست مرا
معلوم نشد که در طربخانهٔ خاک
نقاش ازل بهر چه آراست مرا

آن قصر که جمشید در او جام گرفت
آهو بچه کرد و روبه آرام گرفت
بهرام که گور می‌گرفتی همه عمر
دیدی که چگونه گور بهرام گرفت

چون عهده نمی شود کسی فردا را

But see! The rising Moon of Heaven again
Looks for us, Sweet-heart, through the quivering plane
How oft hereafter rising will she look
Among those leaves-for one of us in vain!

** Personne ne devine ce qu'il arrive demain.
Empresse de vivre, donne du plaisir à ton cœur, plein.
Prends du vin au clair de lune, Ô ma beauté de lune !
La lune rayonnera, sans nous retrouver aucun.

Unter des Mondes wechselvollem Licht
Das Schicksal uns kein Morgenrot verspricht.
Drum trink im Schein des Monds, denn mancher Mond
Blickt auf die Erde einst und sieht uns nicht!

گر می نخوری طعنه مزن مستان را

As far as possible taunt not the drinkers
Build not upon the foundation of hypocrisy and idle tales
Pride not yourself in your not drinking
You do a hundred things that are as low as a slave next to that

** Tu ne bois point ! Ne reproche donc pas les buveurs !
Ne déploie pas ta camelote de l'imposteur !
Tu te ventes de ne point toucher au vin ?
Tu avales des bouchées pires que toutes les liqueurs.

* Tadele nicht die Trinker: „ Ich meide den Wein! "
Heuschelei und Betrug gehen dir wie Honig ein.
Sei nicht darauf Stolz, dass du keinen Wein trinkst
Knechte deiner Heuschelei sind die Kelche von Wein.

آمد سحری ندا زمیخانه ما

Dreaming when Dawn's Left Hand was in the Sky
I heard a Voice within the Tavern cry,
"Awake, my Little Ones, and fill the Cup
Before life's Liquor in its Cup be dry."

Dès l'aube, à la taverne une voix me convie,
Disant : "Folle nature au plaisir asservie,
Lève-toi, remplissons notre coupe de vin,
Avant qu'on ait rempli la coupe de la vie !"

Eine Stimme scholl morgens zu mir aus der Schenke:
Steh' auf närr'scher Schwärmer' Dein Heil bedenke
Füll', ehe das Mass unsers Schicksals gefüllt ist,
Bei uns noch das Mass mit edlem Getränke!

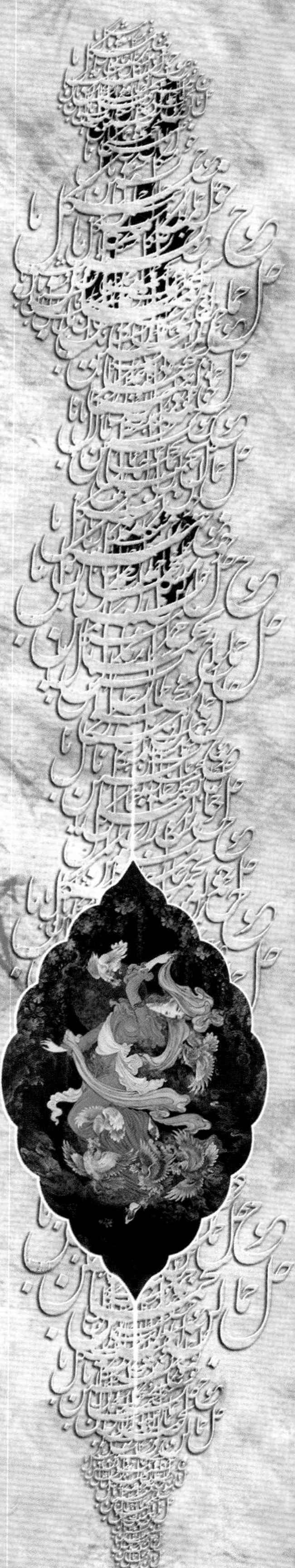

برخیز بتا بیا برای دل ما

Come, my love, and for the sake of my heart
Resolve my problem with your beautiful presence
Bring us a jug of wine, and lets drink it together
Before so many jugs are fashioned out of our clay.

** A moi mon idole ! mon cœur se lasse de tout.
De ta beauté seule mon problème se résout !
Une jarre de vin ! nous le ferons boir l'un à l'autre,
Avant que notre boue ne soit des jarres sur une roue.

* Auf! Geliebte mir zu Gute bring Wein
Heil durch dein Antlitz die Trauer Mein.
Leeren wir gemeinsam einen Lehmkrug.
Solang … nicht aus uns Krüge gemacht wird für Wein.

گر می نخوری طعنه مزن مستان را
بنیاد مکن تو حیله و دستان را
تو غره بدان مشو که می می‌نخوری
صد لقمه خوری که می غلام است آن را

چون عهده نمی‌شود کسی فردا را
حالی خوش کن تو این دل شیدا را
می نوش به ماهتاب ای ماه که ماه
بسیار بتابد و نیابد ما را

آمد سحری ندا ز میخانه‌ی ما
کای رند خراباتی دیوانه‌ی ما
برخیز که پر کنیم پیمانه ز می
زان پیش که پر کنند پیمانه‌ی ما

برخیز و بیا بتا برای دل ما
حل کن به جمال خویشتن مشکل ما
یک کوزه شراب تا به هم نوش کنیم
زان پیش که کوزه‌ها کنند از گل ما

افسوس که نامه جوانی طی شد
وان تازه بهار زندگانی دی شد
ان مرغ طرب که نام او بود شباب
افسوس ندانم که کی آمد کی شد

در هر دشتی که لاله‌زاری بوده است
از سرخی خون شهریاری بوده است

هر شاخ بنفشه کز زمین می‌روید
خالی است که بر رخ نگاری بوده است

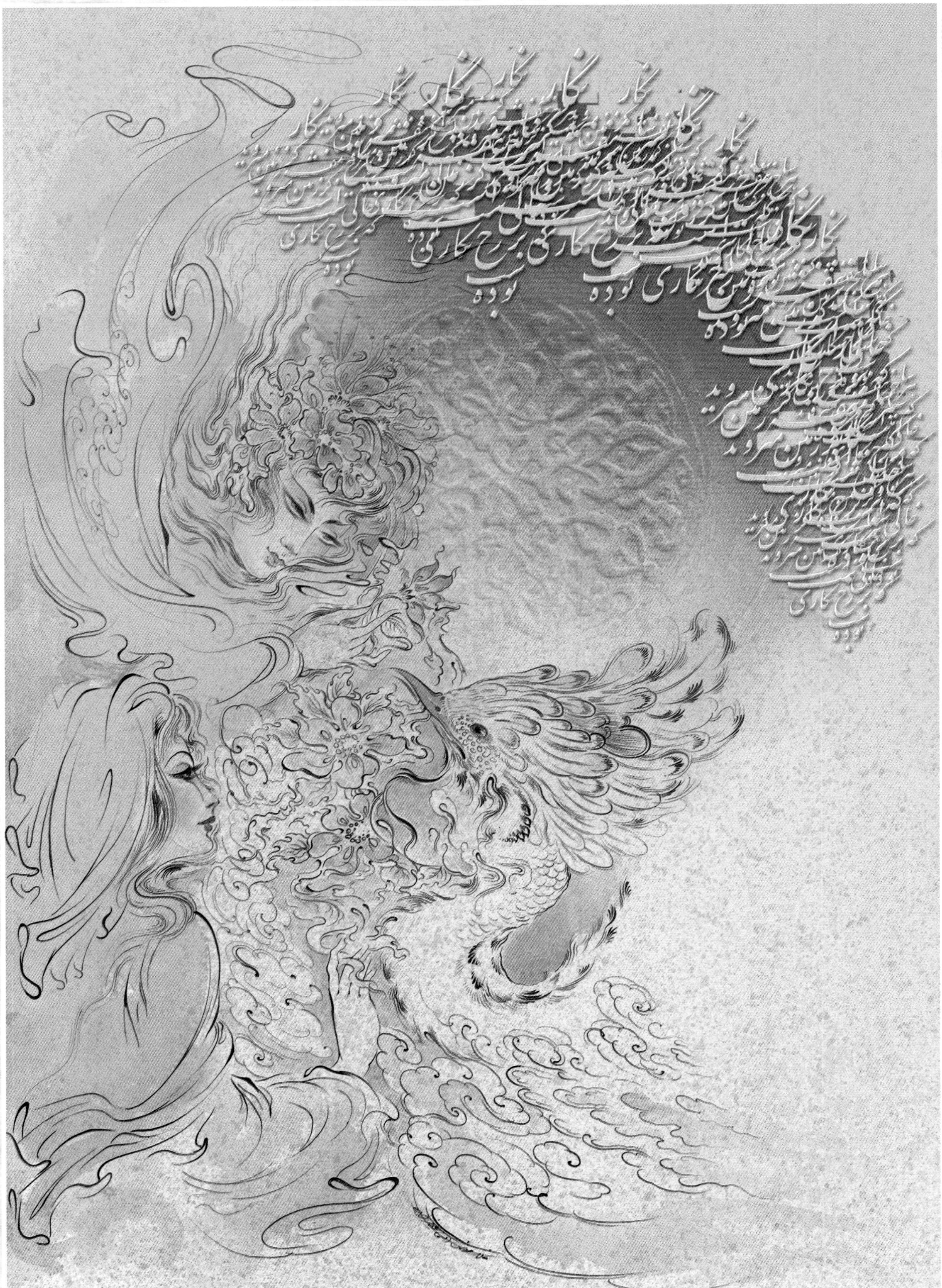

هر سبزه که بر کنار جویی رسته است
گویی ز لب فرشته خویی رسته است

پا بر سر سبزه تا به خواری ننهی
کان سبزه ز خاک لاله رویی رسته است

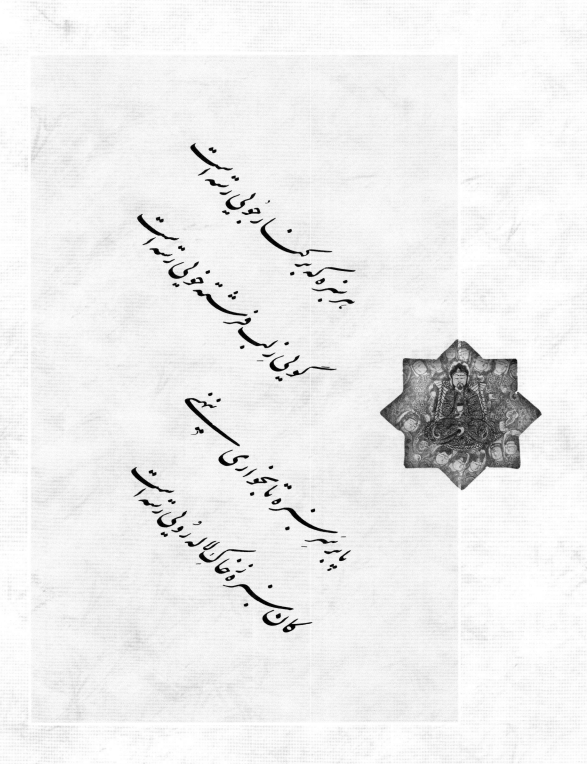

ای دوست بیا تا غم فردا نخوریم
وین یکدم عمر را غنیمت شمریم
فردا که ازین دیر فنا درگذریم
با هفت هزار سالگان سربسریم

چون بلبل مست راه در بستان یافت
روی گل و جام باده را خندان یافت
آمد به زبان حال در گوشم گفت
دریاب که عمر رفته را نتوان یافت

هنگام صبوح ای صنم فرخ پی
برساز ترانه‌ای و پیش آور می
کافکند به خاک صد هزاران جم و کی
این آمدن تیرمه و رفتن دی

وقت سحر است خیز ای طرفه پسر
پر باده لعل کن بلورین ساغر
کاین یک دم عاریت در این کنج فنا
بسیار بجویی و نیابی دیگر

با سرو قدی تازه‌تر از خرمن گل
از دست منه جام می و دامن گل
زان پیش که ناگه شود از باد اجل
پیراهن عمر ما چو پیراهن گل

بر چهره گل نسیم نوروز خوش است
در صحن چمن روی دل‌افروز خوش است
از دی که گذشت هر چه گویی خوش نیست
خوش باش و ز دی مگو که امروز خوش است

خیام اگر ز باده مستی خوش باش
با ماهرخی اگر نشستی خوش باش
چون عاقبت کار جهان نیستی است
انگار که نیستی چو هستی خوش باش

این چرخ فلک که ما در او حیرانیم
فانوس خیال از او مثالی دانیم
خورشید چراغدان و عالم فانوس
ما چون صُوَریم کاندر او حیرانیم

این جهان بکوشد - همین جهانی که پر از فراز و فرود و زشت و زیبا و تلخ و شیرین است - انسان طبق آیین هستی به این جهان؛ هم سرافراز شده و هم سرافرازی داده است. یعنی باید: نیک بیندیشد، اندیشه نیک را درست و راست و بهنجار بیان کند و گفته‌ها را زیبا و دلخواه بکار بندد. انسان باید «در عیش نقد بکوشد» زیرا سرنوشتش این بوده است و بهمین سبب «روضهٔ دارالسلام» را رها کرد و به این جهانِ پر تلاطم و پر خروش و پر فراز و فرود گام نهاد. و این سخن حافظ است که گفت:

در عیش نقد کوش، که چون آبخور نماند
آدم بهشت، روضهٔ دارالسلام را

و خیام که استاد حافظ است همین نکته‌ها را گوشزد کرده است.

هر انسان بزرگ و اندیشمندی - چون خیام - همین که در «دایرهٔ گردش ایام افتاد» همانگونه که «چون پرگار در پی دوران میرود» در گردش خامهٔ قلم نهادش شکل اسطوره‌ای بخود میگیرد و هر کسی از ظن خود با او دمساز میشود و تصویر او را میانگارد. زندگی گرایان او را آموزگار خوشی و سازندگی و بالندگی میدانند و مرگ اندیشان او را راهنما بجهان دیگر و تسلیم بمرگ و نیستی می شناسند و جبریان سخن او را استوانه‌ای برای اینکه پایهٔ هستی انسان بر جبر نهاده شده می انگارند. و اینهمه نشان بزرگی او و کسانی چون اوست. اینک این رباعیهای برگزیدهٔ خیام را در این دفتر نگارین بخوانید و هر گونه که میخواهید از آنها برداشت کنید. آنچه مسلم است کسی از این بهارستان معنی بی بهره نمی ماند و من هم همزبان با خیام آرزو میکنم که نسل انسان: نیک بیندیشد، اندیشهٔ نیکش را نیکو بیان کند و بیان خوبش را خوب و درست و بهنجار بکار بندد؛ «و جنگ هفتاد و دو ملت همه را عذر بنهد» و از دام و بند «مدعی» رها شود و به آبادانی و شادابی و سرسبزی جهان و آراستگی و شادی و خوشی انسان کمر همت ببندد.

ایدون باد - ایدون تر باد

ع. محمودی بختیاری
تیرماه ۱۳۸۰

۲-۱- نگاه کنید به: «او»، «تو»، «من» در «چرا حافظ» انتشارات علمی ۱۳۷۵

۳-۱- نگاه کنید به: از سعدی تا آراگون، دکتر جواد حدیدی - مرکز نشر دانشگاهی - تهران ۱۳۷۳

۳-۲- همین کتاب صفحه ۳۵۸

تو غرّه بدان مشو که می می‌نخوری   صد لقمه خوری که می غلامست آن را

تازش و طعنهٔ نجم رازی، عطّار و دیگر صوفیان و زاهدان از یکسو و جدال فیتزجرالد و آسانا یوگانندا بر سر شرح رباعیهای خیّام و نقدهایی که بر ترجمهٔ نیکلا پس از رباعیات خیّام شد هیچکدام مشکل‌گشا نبوده‌اند و خیّام ورای بحث‌هایی از گونهٔ، جبری بودن، پیرو فلسفهٔ مادی بودن، توبه‌کاری و توبه‌شکنی کردن .... است. هر انسان آگاه میداند که آماج خیّام از: می، میخانه، خرابات، دم را غنیمت شمردن ....، آن نیست که بکنجی بخزد و با پیاله‌ای شراب خود را از دام عقل و گیر و دار زمانه رها سازد. خیّام خود را داناتر از آن میداند که چنین کند — خیّام خود دادانچه درگیر سرنوشت انسان کرده است، و میداند که باید بکار انسان و هنجار هستی و آبادانی جهان و کامیابی و دستیابی انسان به فراورده‌های خرد و دانش و بینش بپردازد. و این مقدّر انسانست زیرا انسان - که در خطّ آفرینش در آخرین نقطه جای دارد - در دایرهٔ هستی به نخستین آفریده یعنی: خرد پیوند پیدا کرده است و بفرمان این قانون و بنداد آفرینش باید خردمند و کوشا و آفریننده باشد. زیرا: دارای «اختیار» شده است و پیوندش با خرد او را مختار کرده است. می: نماد آزادی، آزادگی و رهایی از دام «مدّعی» است. می: جوهر شناخت انسانست. معیار و محک انسانست. میخانه: جایگاه و پایگاه آزادی و آزادگی است که در آنجا «گل آدم بسرشتند و به پیمانه زدند». و پیر مغان: خرد ناب و پخته و کارآمد اوست. سه قرن پس از خیّام، حافظ بهترین شاگرد و بهترین گزارشگر اندیشه و دیدگاه او بوده است و با زبانی رساتر از خیّام به مدّعی پاسخ میدهد و میگوید:

من ترک عشق و شاهد و ساغر نمیکنم   صد بار توبه کردم و دیگر نمیکنم
باغ بهشت و سایهٔ طوبی و قصر حور   با خاک کوی دوست برابر نمیکنم
ناصح به طعنه گفت: «برو ترک عشق کن»   محتاج جنگ نیست برادر نمیکنم

و بی پروا به مدّعی میگوید:

پیر مغان حکایت معقول میکند   معذورم ار محال تو باور نمیکنم

و جان سخن و آماج خیّام را بر زبان میآورد و میگوید:

«خوش برانیم جهان در نظر راهروان»

خیّام تمام کوشش خود را بکار برده تا جهان را در نظر راهروان و باشندگان و کوشندگان جهان شاد و پدرام و بکام سازد و فریاد میزند:

می خوردن و شاد بودن آئین منست   فارغ بودن ز کفر و دین، دین منست
گفتم بعروس دهر کاوین تو چیست؟   گفتا: «دل خرّم تو کاوین منست»

انسان فرمان سرشت و آفرینش باید: آئین نامه و بنداد آفرینش را درست و دلخواه بکار بندد. در ساخت و ساز و آبادانی شادی، دا

گر عاشق مست دوزخی خواهد بود
پس روی بهشت کس نخواهد دیدن

شاهکار خیام بازگرداندن انسان بخویشتن خویش است. او آموخت که: انسان خردمند باید بیندیشد، شک کند و هیچ امری را بی شک و تردید نپذیرد. هر شنیده ای را نخست بکارگاه دیده و بینش بکشاند، بیازماید، بسنجد سرانجام برگزیند. و بپذیرد. ذکر را رها کند و بفکر بپردازد. دروازه های چشم و گوش را بر هر پدیده و سخنی بازنگاه دارد و هر واردی را (آواز، چیز، سخن) در بیرونی و درونگاه این دو دروازه پاسدارد، پذیرایی کند و بفرجام برگزیدگان واردان را- پس از شناسایی کامل بخلوتگه جان بپذیرد. یعنی انسان عارف در درونگاه خلوتگه دل، فرهنگستانی بنیاد میکند و کارآگهان دانا و بینا و بینشوری میگمارد تا هیچ کالای تباه و تباهساز و زهرآگین فضای پاک و خردآفرین خلوتگه جان را نیالاید. انسانی که به این آگاهی برسد: «جنگ هفتاد و دو ملت را عذر مینهد» و به یاران و دانش آموختگان دبستان عشق می پیوندد. در دبستان عشق، «من» میکوشد به «تو» برسد، یکپارچه شود و به کل هستی درآمیزد تا جلوه گاهی زیبا، دلخواه، شایسته و سزاوار برای «او» گردد. در این بارگاه و در این جهان، هر کس و هر چیزی در جای بایسته خود جای میگیرد و معنی «داد» و «زیبایی» همین است و خیام پیک همین پیام «خداوند جان و خرد» است و «خداوند جان و خرد» در کالبد «پیر مغان» بلورینه میشود. و خیام از «پیر مغان» آموخت و فراگرفت که: آموزگار راستین، به نسل انسان اندیشیدن را سفارش میکند و راه اندیشیدن را- و نیک اندیشیدن را- یاد میدهد نه اندیشه ها و عقیده ها را و انسان در پرتو اندیشیدن و خرد درمییابد که: آفریدگار هستی، جهان هستی را: زیبا، به اندام، بکام و خوشایند آفریده است، باید خوب و خوشایند و به اندام و بکام نگهداری شود. اینهمه آلودگی، نامردمی و پریشانی، از آنجا پدید میآید که: در دایره آفرینش- آنجا که آخرین آفریده به نخستین آفریده می پیوندد- حجابهایی پدید می آید و انسان از خرد بی بهره و نابرخوردار می ماند و توان اندیشیدن را از دست میدهد و بدنبال اندیشه ها سرگردان میشود. اینجاست که فضای رشد مدعی فراهم می شود. خیام پیام رسان پیام «خداوند جان و خرد» و مبشر گسترش اندیشه نیک و آگاهی دادن به نسل انسان است، به شیوه دلخواه آفرینش و بخشش ازلی، که آفریدگار و سپس معمار هستی بهره او کرده است. خیام، خود بگونه اسطوره درآمده است. از فتیز جرالد و آسانا یوگا نندا تا چارلز اف هورن، از نظامی عروضی و نجم رازی تا فروغی و هدایت و سوای گنه تیرته (پژوهشگر هندی) .... همه به بزرگی، خردمندی و معرفت او گواهی داده اند و همه پذیرفته و آشکارا گفته اند که: آنچه پیرامون خیام نوشته و مینویسند شاید آن نباشد که آماج و دلخواه خیام بوده است و هر کدام بگمان خود: «گفتند فسانه ای و در خواب شدند». اما همه بر این گواه هستند که خیام پرده از: ریا، زرق، سالوس و فریب «مدعی» برگرفته و چهره زشت و ترسناک جهل را بازنموده و جهان زیبای خرد و اندیشه و معرفت را- شایسته و دلخواه- نشان داده است و در بیداری و آگاهی نسل انسان نقش آفرین بوده است. خیام به «مدعی» میگوید:

گر می نخوری طعنه مزن مستان را
بنیاد مکن تو حیله و دستان را

بویژه خیام آشنا شد و کتابی را که ۴۶۴ رباعی منسوب به خیام در آن آمده بود به او اهدا کردند. نیکلا این رباعیات را به زبان فرانسوی ترجمه و بیدرنگ چاپ کرد. برداشت نیکلا از خیام بسیار آشفته بود زیرا در محافل یاد شده خیام را صوفی، بی دین، زاهد، جبری، خراباتی، باطنی.... به او شناسانده بودند و او ترجمهٔ خود را با تفسیری بر همین شناخت آشفته و پریشان در دسترس هم میهنانش نهاد. از سوی دیگر، آتش بیداری آزادیخواهی و آگاهی مردم «آن» به «آن» شعله ورتر میشد و زبانه می کشید. داستان محاکمه و محکومیت گالیله خاطرها را افسرده و آزرده بر انگیخته میکرد و محاکمهٔ بودلر و فلوبر بر این آتش افروخته شده دامن میزد. ترجمه و تفسیر نیکلا - با همهٔ نارسایی، زشتی، آشفتگی و نادرستی - مقبول خاطر رنجدیدهٔ مردم شد. شگفت انگیز به آن روی آوردند. نیکلا، که بر ترجمهٔ فیتز جرالد خرده گرفته بود و آنرا کفرآمیز خوانده و باده خواری را دون شأن شاعر عارف میدانست مجال مناسبی به فیتز جرالد داد تا از خود و کار خود دفاع کند و بتواند اثر خود را درست بمردم بشناساند. فیتز جرالد در پاسخ نیکلا نوشت:

«من نمیدانم باده یی که حافظ در اشعارش ستوده و شاید نوش جان هم کرده چه بوده است. اما میدانم که بادهٔ خیام همان باده یی که در محفل عیش و انس و الفت و یا در تنهایی برای فراموش کردن دردهای هستی مینوشیده، چیزی جز دختر رز نبوده است.... معلوم نیست که آقای نیکلا به استناد کدام وثیقهٔ تاریخی خیام را صوفی دانسته و رباعیاتش را زبان تصوف پنداشته است. تفکر در بارهٔ خیر و شر، جبر و اختیار و قضا و قدر خاص صوفیان نیست. قرنها پیش، لوکرس بدان پرداخته و پیش از او اپیکور در آن سرگردان شده. این چیزیست که خاطر همهٔ اندیشمندان را بخود مشغول داشته است. شگفتی در پیدایی خیام است که همچون شاخ گلی در خارستان خشک و سوزان مشرق زمین سر برافراشته و فضا را عطرآگین کرده است....» بگذریم از داوری ناآگاهانه فیتز جرالد از مشرق زمین، نقد و پاسخ او به نیکلا، در خوانندگان اروپایی بویژه انگلیسی زبانان و فرانسوی زبانان را بهوش آورد تا کار بجایی رسید که پس از دیرگاهی: مردی کتاب دوست از کتابفروشی در لندن پرسید: «چه کتابی بیش از همه در انگلستان بفروش میرسد؟» کتابفروش درنگی کرد و گفت: «کتاب مقدس» آن مرد پرسید: «پس از کتاب مقدس؟» کتابفروش بیدرنگ گفت: «رباعیات خیام»[۲]

و امروز در سراسر گیتی نام خیام همطراز آفتاب، بر جهان انسانی میدرخشد.

سخن از زندگانی خصوصی خیام و چند و چون آن در صدها کتاب آمده - که هیچکدام معتبر نیستند - خیام را تنها از راه اثرهایش باید شناخت و این سخن در بارهٔ یگانه های جهان خرد و معرفت مصداق دارد. دیدار خیام را با غزالی چگونه درمییابید که خیام به آفریدهٔ نخستین یعنی «خرد» پیوند پیدا کرده و غزالی بدامن خلیفهٔ عباسی آویزان بود.... هر تفسیر و شرحی که بر رباعیات راستین خیام و رباعیات منسوب به او شده همه بر پایهٔ دیدگاه مفسر و مترجم بوده است که هر یک از گمان خود یار او شده اند و هیچکدام «از درون او نجست اسرار او» خیام میگوید:

می خوردن و گرد نیکوان گردیدن — به زانکه بزرق زاهدی ورزیدن

در وجود نازنینش بلورینه شده بود. و امروز با همان زندگانی «روانی» خویش سرشارتر و شاید در آینده پرفروغ‌تر از امروز باشد.....
می‌دانیم که شعر یعنی سخنِ کوتاه، فشرده، خیال‌برانگیز و کارگر.... و اندیشمندان گه‌گاه کوشیده‌اند که دیدگاه‌های فلسفی خود را در کالبدی کوتاه و کارگر بیان کنند تا در دل و جانِ خوانندگان اثرهاشان بهتر ره یابند و رخنه کنند و کارگر افتند. و باز می‌دانیم که: از میان انواع شعر، رباعی: کوتاه‌ترین، رساترین، زودیاب‌ترین و کارآترین نوع شعر و پرورده‌ی فارسی است. گوینده در کالبدی آراسته و واژگانی سخته و استوار و اندامی کوتاه، بلندترین معنی و ژرف‌ترین پیام را به نسل پژوهنده‌ی انسان می‌رساند. و خیام چنین کرده است
.... فیتزجرالد با آشنایی و همیافتی که با سخن خیام یافت همین نقش را در سرزمین خود بازی کرد. با آنکه ترجمه‌ی فیتزجرالد در آغاز ناکام بود و از انتقاد گزنده‌ی نقادان در امان نماند و باور بیشتر پژوهندگان بر آنست که او نتوانسته رباعیات خیام را درست و راست به انگلیسی برگرداند و خیام تنها الهام‌بخش او بوده است و شاعر انگلیسی بیشتر آرمان و دریافت خود را به شعر انگلیسی درآورده است، با اینهمه او نقش میان دین خود را بخوبی بازی کرده و هنوز هم ترجمه‌ی فیتزجرالد از رباعیاتِ خیام درخشان و زبانزد و با اعتبار است. و کاری‌ترین زخمه از راه همین ترجمه‌ی رباعیات خیام بر پیکر کلیسا و دستگاهِ حکومتِ مدعی وارد شد. خیام نسل انسان را به خویشتن خویش، به اندیشه و خرد به آگاهی و شناخت فراخوانده است. مدعی را به انسان می‌شناساند و راه نبرد با او را نشان می‌دهد. خیام به انسان یاد می‌دهد که: چگونه مدعی را بشناسد. او بخواننده‌ی بیدار دل می‌فهماند که: مدعی از ما جدا نیست، در خود ماست. از میان ما برمی‌خیزد، از خود ما نیرو می‌گیرد و به حکومت می‌رسد. بدست «من»، بند بر پای «تو» می‌گذارد و «او» را وارونه جلوه می‌دهد تا ابزاری مهلک و هول‌انگیز در دستش باشد[1]. خیام انسان را به چند و چون این پدیده‌ی شوم و مردم‌آزار آشنا و آگاه می‌کند. کار و نام خیام در اروپا پرآوازه‌تر از زادگاه و میهنش شد و ناگفته نماند که آوازه و نام‌آوری خیام بهمین آسانی رخ نداد؛ آنجا نیز چون سرزمین خود، خیام تیرهای ملامت و تکفیر بسوی او و مترجم رباعیاتش رها می‌شد؛ همانگونه که صوفیانی چون عطار و نجم رازی و متعصبان ریایی بر سر این رباعی که:

دارنده چو ترکیب طبایع آراست   از بهر چه اوفکندش اندر کم و کاست؟
گر نیک آمد شکستن از بهر چه بود   ور نیک نیامد این صور عیب کراست؟

غوغا به پا کردند و خیام را «گزنده‌تر از مارهای زهرآگین» نشان می‌دادند..... در مغرب زمین هم - در آغاز - کسی ترجمه‌ی فیتزجرالد را خریدار نشد، زیرا فضا هنوز آلوده و سیطره‌ی کلیسا پایدار بود و بالاتر از این، مردم - با همه‌ی بیزاری از استبداد پاپها - بمعیارهای کلیسا خوگر بودند و این غوغای «اعتیاد» بیداد می‌کرد. چنانکه ناشر ترجمه‌ی فیتزجرالد نتوانست بیش از دویست نسخه از کتاب او را چاپ کند و از همین دویست نسخه بیش از چند نسخه بفروش نرسید. باقی را به بهای نسخه‌ای «یک پنی» حراج کرد ولی خریدار پیدا نکرد تا سرانجام ناشر نگون‌بخت کتابها را در انبار خود روی هم ریخت بلکه بگونه‌ی کاغذ باطله آنها را از سر خود وا کند. در گیر و دار همین سالها مردی فرانسوی بنام «ژان باتیست نیکلاس» که او کنسول فرانسه در رشت بود و خود در محفل‌های ادبی و علمی ایرانیان کشانیده بود با آثار شاعران ایرانی

پیش گفتار

جهانی ستاید خیام را — که اندیشه‌ها بی کم و کاست گفت
پسندید هر چیز را در جهان — نترسید از هیچکس راست گفت
دل عالمی را به شعری ربود — چرا؟ چون دلش هرچه میخواست گفت

شازده افسر

تا پیش از کشف پیام رسانه‌های نوین، خیام، سرشناسترین و نام‌آورترین اندیشمند جهان بود.

از حق نباید گذشت که: فیتز جرالد بالاترین نقش را در نام‌آوری خیام در سرزمینهای اروپا و مغرب زمین داشت. زمان هم یار هنرمند و پذیرای اندیشه آزاد و نبرد با: ریا، سالوس، بیداد، تزویر و حکومتِ «مدعی» شده بود. با ترجمه رباعیات خیام آتش رنسانس (زندگی) شعله‌ور و گدازان شد. و همین اشتعال، انگیزه بیداری و روآوری اروپائیان به مشرق زمین و بویژه به ادبیات ایرانی گردید.

با همه گرایش و دلبستگی دانشمندان و نویسندگان بزرگ، آزادیخواهان دلسوز و جویندگان اندیشه‌های نو و توجه به اندیشمندان و سخنسرایان بزرگ و آگاه ایرانی، باز: خیام پیشتاز و نقش آفرین بود. روزگار سامانیان بظاهر سپری شده بود و ترک و تازی میدان‌دار و حاکم، چپاول و بیداد همه جاگیر و گسترده، تلخکامی روز افزون و روان آزار میشد. با اینهمه، تخمی که از راه فرهنگستان روزگار سامانیان پاشیده شده بود - با همه سموم جانکاه و فضای آلوده و بادهای زهرآگین - در نهان و آشکار به بار نشست.....

دوران ملکشاه سلجوقی و خواجه نظام الملک - با همه کژاندیشی‌ها و کژرویها - زمینه‌ی یارمند برای بالیدن و بارور شدن اندکی از همان کشته‌های دیرین شد. و در سپهر دانش و اندیشه، بار دیگر فروغی درخشیدن گرفت. دانشمندان پر توان گردن افراختند. در زمینه‌های گوناگون دانش و بینش - و از آن میان - در اندازه گیری زمان تلاش پرداختند. دریافتند که: پیرامون سه هزار سال پیش از آن زمان، در همین پهنه خراسان - بویژه نیشابور - انسانی روشنفکر، بنیاددل، خردمند و عارف، زمان را تقویم کرده و در دل «زروان اکران» (زمان بی آغاز و انجام)، زمان «کرانمند» یا زمان محدود و قابل شناخت برای زندگی انسان را اندازه گرفت و آنرا به «دوازده هزاره» بخش کرد..... خواست زمانه چنین اقتضا کرد که از همان سرزمین و همان شهرستان دلنشین نیشابور مردی برخیزد، پا جای پای همان عارف نخستین بگذارد و دنباله همان تلاش و کوشش را بگیرد تا با همت والایش «تقویم جلالی» چهره بنماید. خیام نیشابوری، نیمه نخست سده پنجم هجری قمری در نیشابور دیده بجهان گشود و در درازای هشتاد و اندی سال زندگانی پربار تنانی خود جهانی بود و جهانی شد. امروز: با زندگانی روانی خویش، بر کل جهان هستی چیره و خرامان است. و گامهای بلندی در دانش ریاضی و ستاره شناسی و تقویم زمان برداشت. دو مفهوم «خورداد - امرداد»، یعنی رسایی و جاودانگی،

ای چرخ فلک خرابی از کینه تست
بیدادگری شیوه دیرینه تست
ای خاک اگر سینه تو بشکافند
بس گوهر قیمتی که در سینه تست

ای چرخ فلک خرابی از کینه تست

آمد سحری ندا ز میخانهٔ ما
کای رند خراباتی دیوانهٔ ما

برخیز که پر کنیم پیمانه ز می
زان پیش که پر کنند پیمانهٔ ما

سرشناسه : خیام، عمربن ابراهیم، ۴۳۲ - ۵۱۷؟ق.
عنوان قراردادی : رباعیات .چندزبانه
عنوان و نام پدیدآور : رباعیات عمر خیام به چهار زبان، فارسی، انگلیسی، فرانسه، آلمانی/ بخط هاشم زمانیان؛ همراه با ترجمه انگلیسی ادوارد فیتنر جرالد؛ و نگاره‌های غلامرضا اسماعیل‌زاده.
مشخصات نشر : تهران: فرهنگسرای میردشتی: انتشارات ضیغمی، ۱۳۹۰.
مشخصات ظاهری : ۱ج .(شماره‌گذاری گوناگون): مصور(رنگی)؛ ۲۳/۵×۳۲ س‌م.
شابک : ۰-۲۶-۷۱۴۱-۹۶۴-۹۷۸
یادداشت : ص.ع به انگلیسی: ... Rubaiyat of Omar Khayyam
یادداشت : چاپ هشتم.
موضوع : شعر فارسی -- قرن ۵ق.
موضوع : شعر فارسی -- قرن ۵ق. -- ترجمه شده به زبان‌های خارجی
شناسه افزوده : فیتس‌جرالد، ادوارد، ۱۸۰۹ - ۱۸۸۳م.، مترجم
شناسه افزوده : Fitzgerald, Edward
شناسه افزوده : زمانیان، هاشم، ۱۳۳۴ -، خوشنویس
شناسه افزوده : اسماعیل‌زاده، غلامرضا، تصویرگر
رده بندی کنگره : ث۱۳۹۰ ۸۲ی/ PIR۴۶۲۵
رده بندی دیویی : ۱/۲۲فا۸
شماره کتابشناسی ملی : ۲۷۲۳۷۸۲

به چهار زبان فارسی، انگلیسی ، فرانسه ، آلمانی

به همراه مقدمه و ترجمه انگلیسی ادوارد فیتزجرالد

بخط هاشم زمانیان

و نگاره های غلامرضا اسماعیل زاده

مقدمه فارسی: دکتر علیقلی محمودی بختیاری

مقدمه فرانسه: دکتر سید اسدالله علوی (تخلیص مقدمه ابوالقاسم اعتصام زاده)

ترجمه فرانسه: ابوالقاسم اعتصام زاده، وَنسان مون تی، امیر هوشنگ کاووسی

ترجمه آلمانی: لئوپولد، کامران جمالی

تنظیم، طراحی، مدیریت تولید: محسن ضیغمی

پردازش رایانه ای: احمد مقدسی

پردازش رایانه ای مجدد و صفحه بندی: محمدرضا فراهانی

اسلاید: جواد سیدآبادی

لیتوگرافی: فرآیند گویا

چاپ نهم: چاپخانه ابیانه، زمستان ۱۳۹۳

تیراژ: ۱۵۰۰ جلد

صحافی و قابسازی: معین

ناشر: فرهنگسرای میردشتی، انتشارات ضیغمی

شابک: ۰-۲۶-۷۱٤۱-۹٦٤-۹۷۸

فرهنگسرای میردشتی
MIRDASHTI PUBLICATION

مشهد: چهارراه لشگر، به طرف میدان ده دی، پاساژ دیدنیها

تلفن: ۰۵۱۱ - ۸۵۴ ۴۹ ۵۱ فکس: ۰۵۱۱ - ۸۵۱ ۴۷ ۶۱

کتاب میردشتی

تهران: میدان انقلاب، خیابان کارگر جنوبی، ابتدای خیابان وحید نظری،

مجتمع تجاری نادر، طبقه اول، تلفن: ۲- ۶۶۴۹۰۶۶۱ فکس: ۶۶۴۹ ۱۹ ۶۸

آدرس اینترنت: WWW.fmirdashti.com - Email: info@fmirdashti.com

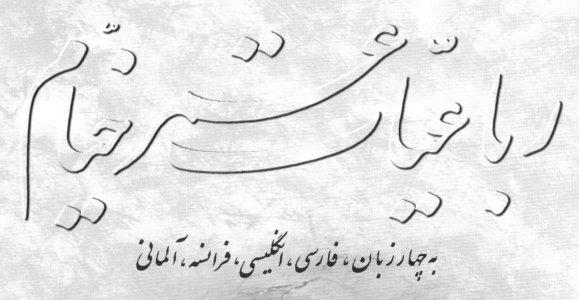

رباعیات عمر خیام

به چهار زبان، فارسی، انگلیسی، فرانسه، آلمانی

همراه با ترجمه انگلیسی ادوارد فیتزجرالد

بخط هاشم زنانیان

ونگاره های غلامرضا اسماعیل زاده

از راه رسیدن بهار طبیعت و مژده رویش و

فرا رسیدن فرخنده نوروز باستانی بر شما دوست و سرور ارجمند

همایون باد.

روزگاران سبز و شادی هایتان مستدام

«شرکت بهبود اندیشان آرین کاوش»

بهار ۹۵

بسم الله الرحمن الرحیم

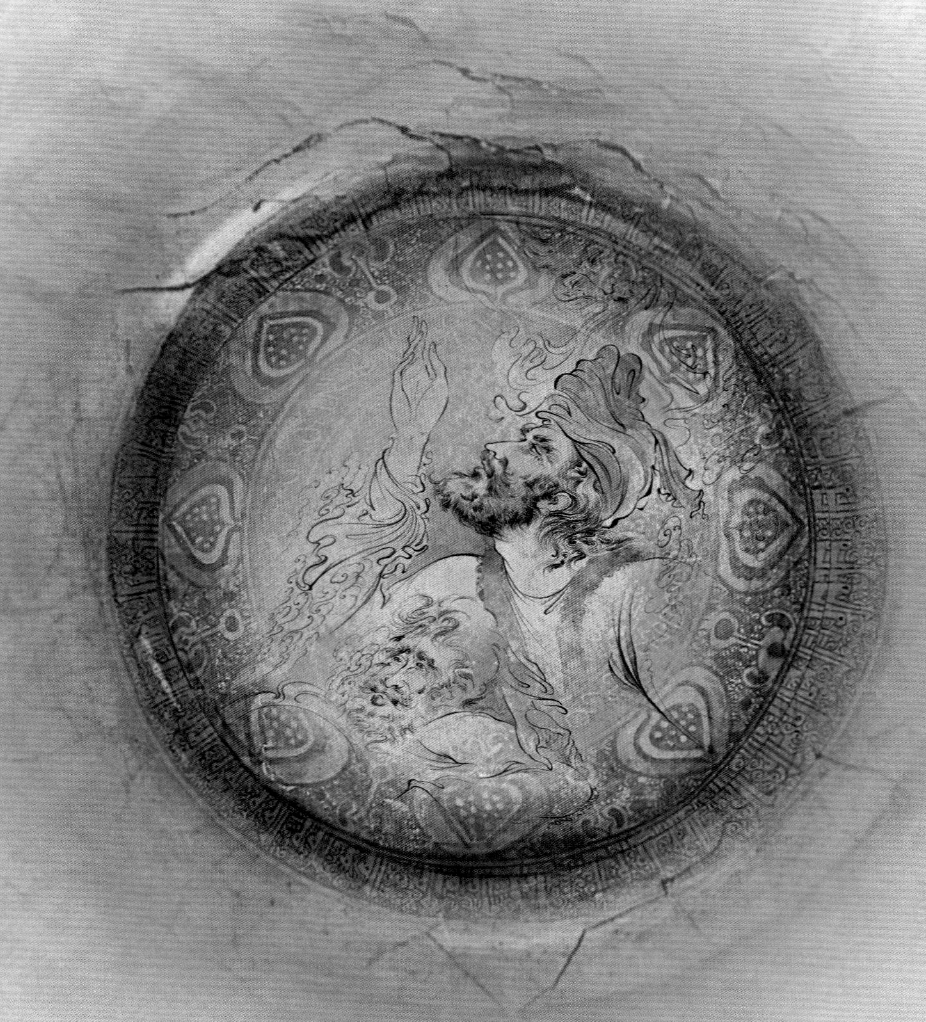

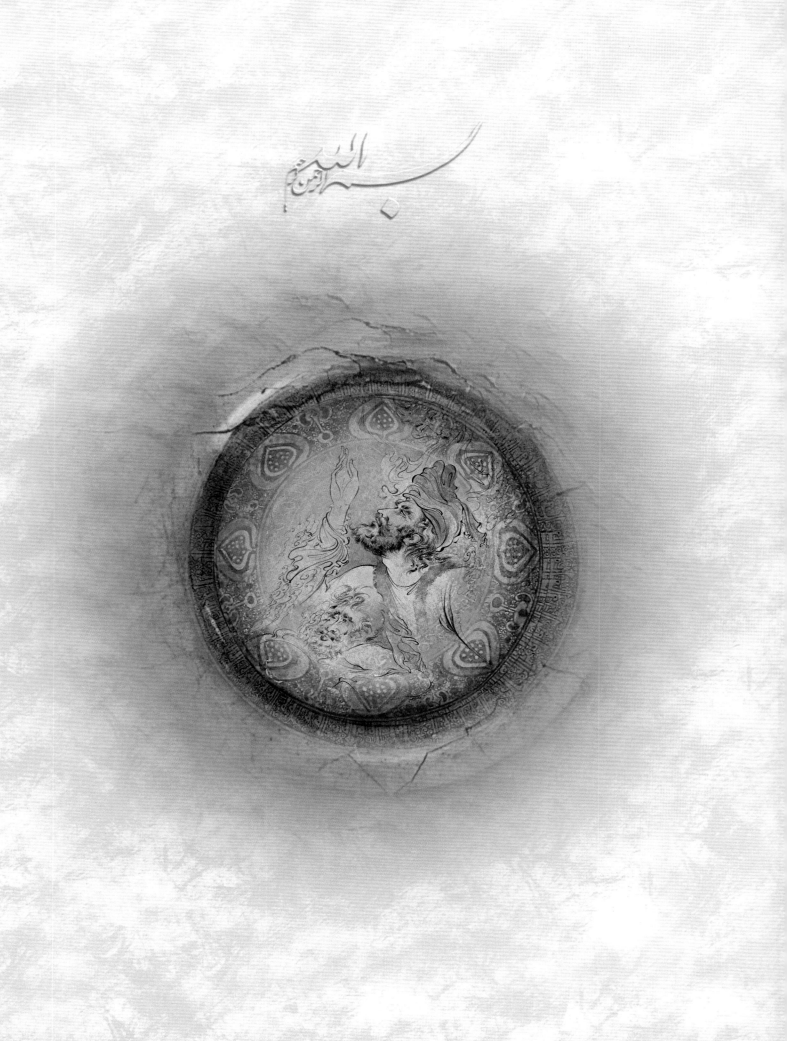

Dear Ms. Hamilton
Thank you very much.
Reza Homaee
16,06,10